o anseio furioso de Deus

BRENNAN MANNING

o anseio furioso de Deus

Traduzido por FABIANO MEDEIROS

São Paulo

Copyright © 2009 por Brennan Manning
Publicado originalmente por David C. Cook, Colorado, EUA.

Os textos das referências bíblicas foram extraídos da *Nova Versão Internacional* (NVI), da Sociedade Bíblica Internacional, salvo indicação específica.
Todos os direitos reservados e protegidos pela Lei nº 9.610, de 19/02/1998.
É expressamente proibida a reprodução total ou parcial deste livro, por quaisquer meios (eletrônicos, mecânicos, fotográficos, gravação e outros), sem prévia autorização, por escrito, da editora.

Dados Internacionais de Catalogação na Publicação (CIP)
(Câmara Brasileira do Livro, SP, Brasil)

Manning, Brennan

O anseio furioso de Deus / Brennan Manning; traduzido por Fabiano Medeiros. —
São Paulo: Mundo Cristão, 2010.
Título original: The Furious Longing of God

ISBN 978-85-7325-600-0

1. Deus (Cristianismo) — Amor 2. Meditações 3. Manning, Brennan I. Título.

09-11553   CDD-231.6

Índice para catálogo sistemático:
1. Amor de Deus : Teologia dogmática cristã 231.6
Categoria: Espiritualidade

Publicado no Brasil com todos os direitos reservados por:
Editora Mundo Cristão
Rua Antônio Carlos Tacconi, 69, São Paulo, SP, Brasil, CEP 04810-020
Telefone: (11) 2127-4147
www.mundocristao.com.br

1ª edição: janeiro de 2010
13ª reimpressão: 2024

sumário

prefácio	7
uma explicação sobre medite nestas coisas...	9
introdução	11
gênese	15
fúria	20
nosso Pai	30
união	44
momento não planejado de oração	53
pequenos dons	60
cura	62
ousadia	83
fogo	88
dar	95
amor inimaginável	99
posfácio	102
notas	106

prefácio

Se é Brennan Manning quem escreve, então eu leio. Simples assim. Seus livros anteriores exerceram um impacto profundo sobre mim, especialmente *O evangelho maltrapilho* e *Convite à loucura*. Por essa razão, quando me deram a oportunidade de escrever o prefácio deste livro, senti-me muito pequeno e privilegiado. E, numa atitude egoísta, aceitei, porque isso significaria que eu leria o livro antes de você!

Brennan escreve num estilo poético cru que o põe em rara companhia. Suas palavras confrontarão o *status quo* de sua vida de forma graciosa e farão despertar novamente um desejo profundo de conhecer aquele que deseja você. Brennan também tem uma maneira de pôr em palavras os medos, as esperanças e os desejos subliminares que muitos de nós acham difícil verbalizar. Por isso seus livros ressoam em seus leitores num nível tão profundo.

Foi C. S. Lewis quem disse: "Precisamos ser mais lembrados que instruídos". E foi exatamente o que este livro representou para mim, um lembrete oportuno e atemporal daquilo que mais importa. De forma simples: o anseio furioso de Deus por cada um de nós.

Não seria verdade afirmar que Brennan abriu novos caminhos neste livro. Não foi o que fez. Mas dizer que Brennan mais uma vez tenta aqui arar a terra endurecida do nosso coração, essa, sim, seria uma afirmação verdadeira. E foi o que fez, ao menos no meu caso.

Brennan escreve como um homem que tem os joelhos enterrados no amor de seu Aba. E as palavras que profere transmitem mais do que mera informação à mente. São revelação para o espírito. Cada cristão sabe que Deus o ama. Infelizmente, na maioria das vezes o fato não passa de um dogma alojado na mente. E, enquanto não chega ao coração, não passa de mera informação. Uma vez que penetre o coração, o resultado é a transformação. Acredito que este livro ajudará a traduzir informação em transformação.

Quando li *O anseio furioso de Deus*, fui tomado de sobressalto, mais uma vez, pela capacidade que Brennan tem de captar com profundidade a graça de Deus. De algum modo, ele consegue virar o caleidoscópio e assim revelar novos padrões de verdade que eu jamais havia percebido. E o lembrete simples que ele oferece é exatamente o que eu precisava saber: *o Pai não apenas o ama, mas gosta de você.*

Quando você ler estas páginas, espero que não apenas ouça a voz de Brennan. Espero que consiga ouvir o coração do Pai celeste. Ele anseia furiosamente por você!

Mark Batterson
pastor-titular da National Community Church

uma explicação sobre medite nestas coisas...

Cada capítulo encerra-se com algumas perguntas e reflexões nas quais vale a pena meditar. O objetivo não é que você encontre a resposta "certa". O que se espera é que essas perguntas ou reflexões o façam parar, gastando apenas um pouco mais de tempo com os temas do capítulo.

Lembre-se: o Pai deseja dizer algo a *você* nestas páginas. Tal é seu intenso afeto por *você*. Tal é seu amor por *você*.

introdução

Meu nome é Brennan. Sou alcoólatra.
Como cheguei a esse estado, por que o deixei, por que voltei são a história de minha vida.
Mas não é a história toda.

Meu nome é Brennan. Sou católico.
Como cheguei a ser, por que deixei de ser, por que voltei a ser são também a história de minha vida.
Mas não é a história toda.

Meu nome é Brennan. Fui padre, mas não sou mais padre. Fui casado, mas não sou mais casado.
Como cheguei a essas situações, por que as deixei são também a história de minha vida.
Mas não é a história toda.

Meu nome é Brennan. Sou pecador, salvo pela graça.
Essa é a grande história, a mais importante.
Somente Deus, em sua fúria, a conhece plenamente.

Por dois anos, entre 1971 e 1973, vivi com uma comunidade de franciscanos em Bayou La Batre, no Alabama. Três eram padres, dois eram irmãos leigos. Eu tinha 35 anos na ocasião, com minha aventura de fé a todo o pano. Essa localidade da costa era também uma cidade portuária, a segunda maior dos Estados Unidos, depois de Nova York.

Alguns de nós trabalhavam ali nos barcos de pesca de camarão sempre que alguém precisasse de ajuda. Era um trabalho de curto prazo, dez dias no mar, apanhando aquele fruto de arrastão, além do linguado e da caranha. Sempre tomávamos muito cuidado quando mar adentro. Sempre.

Um dia, voltando para casa de Beaumont, pegamos a ponta de um vento de cauda vindo do Texas. A água estava tranquila a princípio. E nossa embarcação de 135 metros de comprimento era preguiçosamente embalada pelas águas, como o barco da capa deste livro. Repentinamente, porém, as nuvens ficaram mais espessas, e a temperatura despencou. O mar começou a agitar-se, fazendo saltar água por toda a proa. As ondas golpeavam os lados do barco. Nosso capitão, tarimbado, mandou que fôssemos para baixo. Embaixo, no convés, estendemos as mãos para segurar o que houve de sólido metal, e para salvar a nossa preciosa vida.

Eu estava convencido de que íamos morrer.

Depois passamos pela tempestade, a tempestade de verdade. Ventos de 190 quilômetros por hora. Ondas repentinas de trinta metros de altura. Era uma fúria desenfreada.

Alguém disse certa vez: *Para que um homem aprenda a orar, deixem que vá para o mar.*

Minha vida tem sido vivida no anseio furioso de Deus. E tenho aprendido a orar.

gênese

A gênese deste livro situa-se em 1978, durante um retiro silencioso e direcionado de trinta dias de duração, num centro espiritual de Wernersville, na Pensilvânia. Meu guia, um padre jesuíta chamado Bob Hamm, conduziu-me a uma passagem no Cântico dos Cânticos:

> Eu pertenço ao meu amado,
> e ele me deseja.
>
> Cântico dos Cânticos 7:10

Foi a passagem que orei durante todo o tempo em que lá estive.

Nos últimos trinta anos, continuei orando a passagem (Ct 7:10ss.), nas alturas, dentro de 747s, em mosteiros, em cavernas, em centros de retiro espiritual e em lugares desertos. Acredito que a expressão *anseio furioso* é a melhor maneira de descrever o anelo que ele sente por você e por mim. Se você conseguir levar consigo apenas uma mensagem da leitura deste livro, que seja a aquisição do hábito de orar essa passagem da Escritura. Quando você toma essas palavras para si pessoalmente, quero dizer bem pessoalmente, várias coisas lindas começam a acontecer:

- O rufar dos tambores da condenação, alojados em sua mente, será substituído por um cântico em seu coração que tem o potencial de fazer seus olhos cintilarem.
- Você não será dependente da companhia das pessoas para amenizar sua solidão, pois ele é Emanuel — Deus conosco.
- O elogio das pessoas não fará seu espírito alçar os mais altos voos, nem sua crítica o fará mergulhar nas profundezas do poço. A rejeição delas pode enfermá-lo, mas não será uma enfermidade para a morte.
- Num significativo desenvolvimento interior, você transitará de um *devo* orar para *preciso* orar.
- Você viverá com a consciência de que o Pai não apenas o ama, mas gosta de você.
- Você vai parar de se comparar com os outros. Da mesma maneira, não procurará fazer alarde de quanto você é importante, vangloriar-se de suas vitórias na vinha ou sentir-se superior a qualquer pessoa.
- Você vai ler Sofonias 3:17-18 e verá Deus dançando de alegria por causa de você (como precisamente traduz a versão americana da *Bíblia de Jerusalém*).

- Vez por outra, ao longo do dia, você simplesmente saberá que está sendo visto por Jesus com um olhar de ternura infinita.

Sou testemunha dessas verdades.

Não há nenhuma necessidade de abrandar as palavras. Acredito que o cristianismo acontece quando homens e mulheres experimentam a confiança arrojada e intensa que brota do conhecimento do Deus de Jesus Cristo. Já declarei isso antes em livros e palestras, e seria um sacrilégio que essa afirmação não constasse já das primeiras páginas deste livro.

Em meus 44 anos de ministério, o amor furioso de Deus tem sido o tema dominante de minha vida. Diversifiquei a abordagem com títulos como *O evangelho maltrapilho*, *O obstinado amor de Deus* e *A sabedoria da ternura*,[1] mas são todas facetas da mesma joia: o fato de que a verdade perturbadora do Deus transcendente que busca intimidade conosco não é bem servida por um sentimentalismo franzino, afetado, ou um desprotegido recurso à emoção, mas antes na *bouillabaisse*[2] fervilhante do choque que beira a incredulidade, da incerteza parente da descrença e da admiração carinhosa manchada pela dúvida.

O anseio furioso de Deus ultrapassa nossos desejos mais extravagantes, nossa esperança ou desesperança, nossa retidão ou perversidade, sem ser encurralado por uma fala doce ou uma persuasão branda. O anseio furioso de Deus, como escreve Dan Berrigan, "não pode ser reduzido a uma coisa, um ideal grandioso; não pode ser reduzido a um brinquedo, um pássaro canoro enjaulado, para o divertimento das crianças". Não pode ser domesticado, encaixotado, aprisionado, arrombado em sua casa ou em seu templo. É, de forma simples, para nosso espanto, Jesus, a resplandecência do amor do Pai.

A verdade poucas vezes declarada é que muitos de nós têm um anseio por Deus e uma aversão a Deus. Alguns de nós buscam-no e fogem dele ao mesmo tempo. Podemos observar os Dez Mandamentos com todo o rigor e raras vezes faltar a um culto matinal de domingo na igreja, e um caso de amor com Jesus simplesmente não ser o nosso forte.

Mas não é o que penso de você, com certeza. Caso contrário, você não teria rebuscado as almofadas do sofá em busca de um trocado para comprar este livro. Estou escrevendo *O anseio furioso de Deus* de forma honesta e verdadeira, para compartilhar o Deus que se revelou em minha história de vida. Depois da leitura, espero que você o largue num sebo onde alguma maltrapilha o encontrará e dirá "Interessante". Depois então, quem sabe ela o passe a algum pobre desgraçado que esteja com a roupa suja e encharcada, espancado e destroçado, o qual exclamará "Magnífico!".

Sou testemunha da verdade de que Aba ainda sussurra:

> Levanta-te, minha amada,
> formosa minha, vem a mim!
> Vê o inverno: já passou!
> Olha a chuva: já se foi!
> As flores florescem na terra,
> o tempo da poda vem vindo, e o canto da rola
> está-se ouvindo em nosso campo.
> Despontam figos na figueira
> e a vinha florida
> exala perfume.
> Levanta, minha amada,
> formosa minha, vem a mim!
>
> Cântico dos Cânticos 2:10-13, BJ

medite nestas coisas...

1. Quando você lê esta expressão — o anseio furioso de Deus — que emoções ou imagens ela evoca?

2. "... *devo* orar para *preciso* orar." Como você explicaria a diferença entre os dois verbos?

fúria

O substantivo *fúria* é geralmente associado à raiva descontrolada. Entretanto, em expressões como "balada furiosa", "felicidade furiosa" e "tango furioso", o significado passa a ser o de energia intensa.

Quando G. K. Chesterton, um dos maiores escritores da Inglaterra, falou "do amor furioso de Deus", estava fazendo alusão à imensa vitalidade e força do Deus de Jesus em sua busca por uma união conosco.

Outro maltrapilho, Rich Mullins, buscou expressar o mesmo anseio de Deus:[1]

> *Na arrojada e intensa ferocidade*
> *que chamam amor de Deus.*

Sinto falta de meu bom amigo.

Empregar adjetivos como *furioso, apaixonado, veemente* e *doloroso* para qualificar o anelo de Deus é a forma de eu tartamudear e resmungar com a finalidade de exprimir o inexprimível. Sim, eu me afaino. Tanto a teologia, que é a fé em busca de compreensão, e a espiritualidade, que é a experiência de fé daquilo que compreendemos intelectualmente, oferecem um vislumbre do mistério. Agora vemos somente reflexos num espelho, meros enigmas (1Co 13:12). Mas um dia os adjetivos darão lugar à realidade.

Mas depois há também aquela palavra que Chesterton usou: *união*. Essa é uma das palavras mais explosivas do meu vocabulário cristão. A ousada metáfora de Jesus como noivo faz supor que Deus busca mais que um relacionamento íntimo conosco. A arrojada e intensa fúria de Yahweh culmina, se ousarmos dizê-lo, numa fusão simbiótica, uma união tão importante, que levou o apóstolo Paulo a escrever:

```
... já não sou eu quem vive,
    mas Cristo vive em mim.
```

Gálatas 2:20

Numa nota extraordinária sobre esse versículo, a *Bíblia de Jerusalém* escreve no rodapé: "*c)* Pela fé [...] Cristo torna-se de certo modo o sujeito de todas as ações vitais do Cristão". (Grr!)

Meus críticos, que houve e há em grande quantidade, protestam contra o fato de eu escrever demais sobre o amor de Deus e não o bastante sobre o pecado, o juízo, o inferno e sobre como manter Cristo no Natal. Segundo eles, sou desequilibrado, doentio e um pouco insano. Embora eu me reconheça e declare culpado dessa última acusação, estou confiante de que Deus levantará outros escritores desequilibrados, doentios e insanos para bradar comigo em alta voz a liturgia francesa de Páscoa:

> *L'amour de Dieu est folie!*
> *L'amour de Dieu est folie!*
> [O amor de Deus é loucura!]

Em outra obra minha, escrevi que Jesus veio não somente para aqueles que pulam as meditações da manhã, mas também para pecadores de verdade, ladrões, adúlteros e terroristas, para aqueles flagrados em sórdidas escolhas e em sonhos fracassados.

> ... eu não vim chamar justos,
> mas pecadores.
>
> Mateus 9:13

Eis uma passagem para ser lida e relida, porque cada geração tentou escurecer o brilho cegante de suas implicações. Aqueles de nós cicatrizados pelo pecado são chamados para uma proximidade com ele em torno da mesa do banquete. O reino de Deus não é uma subdivisão para os cheios de justiça ou para os que afirmam ter recebido visões confidenciais de veracidade duvidosa e assim jactam-se de deterem segredos de estado acerca de sua salvação. Não, como observa Eugene Kennedy, "é para um número maior de pessoas, mais simples, mais envergonhadas, que sabem que são pecadoras, porque experimentaram os ziguezagues e os picos da batalha moral". Os homens e as mulheres verdadeiramente cheios de luz são aqueles que olharam profundamente na escuridão de sua própria existência imperfeita.

Por 21 anos, tentei desesperadamente transformar-me em madre Teresa. Vivi ao redor do mundo em severa pobreza e numa miséria impessoalizante. Vivi voluntariamente por seis meses no lixão de Juarez, no México — um lixo empilhado tão acima do chão quanto o teto de uma casa. Era um lugar cheio de todo tipo de pessoa, desde crianças de quatro e cinco anos de idade até idosos em seus oitenta anos, todos rastejando-se sobre garrafas quebradas de uísque e animais mortos, só para encontrar algo para comer ou talvez vender aos mascates de beira de estrada. Vivi voluntariamente como prisioneiro numa prisão suíça; ali, o administrador da prisão acreditava que os padres não deviam ser capelães, mas prisioneiros efetivamente. Somente o administrador sabia minha identidade. Vivi nas ruas de Nova York com prostitutos e prostitutas de onze, doze e treze anos de idade, e ministrei a eles por meio da Covenant House [Casa da Aliança].

Eu simplesmente achava que, se me tornasse uma réplica da madre Teresa, então Deus me amaria.

Muito impressionante, não é mesmo? É, pois é.

Isso é apenas parte de quem sou. O restante de Brennan Manning é um aglomerado de paradoxos e contradições. Creio em Deus de todo o meu coração. E, em determinado dia, quando vejo uma menina de nove anos estuprada e assassinada por um maníaco sexual ou um menino de quatro anos de idade morto por um motorista embriagado, chego até mesmo a me perguntar se Deus existe. Como já disse antes, dirijo-me a ele e fico desanimado. Amo e odeio. Sinto-me melhor quando me sinto bem. Sinto-me culpado de não me sentir culpado. Sou escancarado, e sou fechado em mim mesmo. Confio e desconfio. Sou verdadeiro, e ainda mantenho os meus jogos. Aristóteles disse que sou um animal racional. Mas não sou. Isso é uma parte do restante de Brennan.

Ironicamente, era o dia da mentira, primeiro de abril de 1975, às 6h30, e eu acordei na soleira de uma porta no Centro Comercial de Fort Lauderdale, na Flórida. Eu estava num pesado torpor alcoólico, inalando o cheiro do vômito espalhado por todo o meu suéter, olhando fixamente para baixo, para meus pés descalços. Eu não sabia que um "bebum" roubaria meus sapatos durante a noite para comprar uma garrafa de Thunderbird, mas teve um que fez isso. Fazia um ano meio que eu vagava pelas ruas, bêbedo todos os dias, dormindo na praia até que os policiais me enxotassem dali. Era possível me encontrar em portas ou sob pontes, sempre agarrado à minha preciosa garrafinha de Tequila. E não era só que esse bom padre franciscano bebesse demais. Na terça-feira, quebrei seis vezes cada um dos Dez Mandamentos: adultério, atos incontáveis de fornicação, violência para financiar meu vício, assassinato de caráter de qualquer um que ousasse me criticar ou me censurar.

Na manhã em que acordei naquele torpor alcoólico, enquanto divisava a rua, vi uma mulher vindo em minha direção, talvez uns 25 anos de idade, loira e atraente. Trazia o filho pela mão, talvez uns quatro anos. O menino soltou a mão da mãe, correu para a entrada da porta e olhou fixamente para mim, ali deitado. Sua mãe correu atrás dele, cobriu seus olhos com as mãos e disse: "Não olhe para essa imundície. Não passa de uma sujeira". Então senti o sapato dela. Ela me quebrou duas costelas com aquele pontapé.

Aquele imundo era Brennan Manning, 32 anos atrás. E o Deus que vim a conhecer por pura graça, o Jesus que encontrei no chão do meu próprio eu, amou-me furiosamente, não importando meu estado — graça ou desgraça. E por quê? Porque seu amor jamais, jamais, jamais se baseia em nosso desempenho, jamais está condicionado ao nosso estado de espírito — se de entusiasmo ou depressão. O amor furioso de Deus não conhece nenhuma sombra de variação ou de mudança. É digno de confiança. E sempre terno.

> *Assim me orgulho tão somente daqueles dias*
> *que passamos em completa ternura.*
> Robert Bly

A experiência que tenho de seu amor furioso muitas vezes também me enche de fúria ao ouvir célebres pregadores e televangelistas distorcerem a imagem de Aba. Jesus diz: "Vivam em mim. Façam sua casa em mim, assim como eu faço a minha em vocês" (Jo 15:4, *The Message*). *Casa* é um lugar de amor acolhedor, de aceitação sem julgamentos, acompanhado de muitos sinais de afeição. O convite que Deus estende para com ele termos intimidade é espantoso, contrário a todas as cerimônias e protocolos de determinados líderes religiosos e defensores da moral deuteronômica. A observância rígida das regras por parte deles petrifica a compaixão furiosa de Deus. Não deveria ser assim.

O amor tremendo de nosso Deus invisível tornou-se não somente visível, mas também audível em Jesus Cristo, a glória do único Filho, cheio de amor duradouro. É por todos nós a oração que o apóstolo Paulo faz em Efésios 3:17-19:

> ... que, estando arraigados e alicerçados
> em amor, vocês possam, juntamente com
> todos os santos, compreender a largura,
> o comprimento, a altura e a profundidade,
> e conhecer o amor de Cristo que excede
> todo conhecimento, para que vocês sejam
> cheios de toda a plenitude de Deus.

Você consegue ouvir o que Paulo está dizendo? O amor de Cristo ultrapassa o conhecimento. Precisamos abrir mão de nossas percepções humanas, legalistas, tradicionalistas, circuncidadas, empobrecidas de Deus e nos abrirmos para o Deus em Jesus Cristo. Se o fizermos, a promessa é que seremos cheios da plenitude de Deus. Isso é que é boa notícia!

Muito do que me foi apresentado como real em dias passados, percebo agora, não passa de ficção. O deus ranzinza dos humores oscilantes, o deus preconceituoso e parcial com católicos, o deus irritado e desgostoso com crentes, o deus guerreiro da guerra "justa", o deus instável da moral casuística, manifestando sua desaprovação de nossas pequenas fraquezas, o deus pedante dos espiritualmente sofisticados, a miríade de deuses que me aprisionam na casa do medo; e a lista poderia continuar.

Soa-me como verdadeiro o credo de Von Balthasar: "O amor sozinho é digno de crédito". O verdadeiro Deus de amor irrestrito corresponde ao Jesus de minha jornada.

Quanto mais se aproxima o dia de minha morte, menos inclinado fico a limitar a sabedoria e a infinitude de Deus. A confissão feita pelo apóstolo João de que *Deus é amor* é o significado fundamental da santa e adorável Trindade. Indo direto ao ponto, Deus é puramente um Ser em Amor, e *nunca houve um tempo em que Deus não fosse amor*. A base do anseio furioso de Deus é o Pai, que é o Amante originador, o Filho, que é a plena autoexpressão desse amor, e o Espírito, que é a atividade original e inexaurível desse Amor, atraindo para si o universo criado.

Descuidar-se em presença das palavras [...]
é violar um princípio moral fundamental.
N. Scott Momaday

É sempre benéfico reconhecer que os livros podem ser enganosos. A mais lírica das prosas sobre o anseio furioso de Deus cria a ilusão de que já chegamos a um estado de bem-aventurança. Mas então, depois de ler um ou dois parágrafos, você precisa retornar ao comum da vida, a dias que trazem as mesmas velhas coisas vez após vez, ao tédio da rotina; como dizem os budistas: "à lavanderia". Em vez de ficar estarrecido com a falta de afinidade entre o poético e interessante e o prosaico e corriqueiro, é de grande valia que nos agarremos ao prazer total de um Deus amoroso que fica profundamente tocado com o fato de que, no burburinho de nossa vida ocupada, dediquemos ainda que cinco minutos à leitura espiritual.

Cilada semelhante e ainda mais sofisticada seduz o escritor. Depois de uma frase cintilante, como "Você pertence ao círculo social em frêmito dos devassados e abatidos em exílio" ou de palavras de tirar o fôlego sobre a "beleza fulgurante do Deus vivo", o escritor descobre com alarme que sua prosa o tornou artificial e insincero. A atenção escravizada às palavras precisas e adequadas pode seduzir o autor a que assuma determinada postura com o catastrófico efeito de ele perder o contato com sua humanidade dilacerada. Todo artista é assaltado pelo perigo das realizações elegantes. O que fazer? Tudo o que aprendi com a prova e com o erro é permanecer alerta e perceptivo, especialmente quando Deus acha graça de nossas tolices.

medite nestas coisas...

1. Existe o "você" que as pessoas veem e depois o "restante de você". Separe um tempo e monte um retrato do "restante de você". Pode ser um desenho, um texto, mesmo uma canção. Lembre-se apenas de que muito possivelmente o retrato será cheio de paradoxos e contradições.

2. Neste capítulo, alistei alguns deuses fictícios que me foram apresentados no passado: o deus ranzinza, o deus preconceituoso, o deus irritado. Pense em pelo menos mais um, a partir de sua história, para ajudar a completar a lista.

nosso Pai

Gostaria de chamar atenção para uma daquelas passagens profundamente tocantes. É um texto que exerceu profundo impacto em minha vida. No acontecimento, Jesus parece esgotado com o ministério; estava por aqui com as pessoas e desejava estar a sós; assim, desaparece furtivamente da multidão para encontrar um lugar tranquilo para orar. Não demora muito, os discípulos percebem sua ausência e lhe saem em busca. Ao atravessarem o vale de Cidrom, quase tropeçam em Jesus. Ele está no chão, calado, imóvel, totalmente absorto em oração. Nunca antes tinham visto um homem orar como Jesus. Queriam orar como Jesus orava.

Assim, quando ele por fim se ergueu do chão, um dos discípulos disse: *Senhor, ensina-nos a orar*. Foi nas palavras seguintes que Jesus de Nazaré revelou às mulheres e aos homens de todas as idades a verdadeira face de Deus. Ele lhes disse: *Quando vocês orarem, digam*:

> Pai!
> Santificado seja o teu nome.
> Venha o teu Reino.

> Dá-nos cada dia o nosso pão cotidiano.
> Perdoa-nos os nossos pecados,
> pois também perdoamos
> a todos os que nos devem.
> E não nos deixes cair em tentação.
>
> Lucas 11:2-4

Pai nosso. Palavras conhecidas, talvez tão conhecidas que deixaram de ser reais. Essas palavras eram não somente reais, mas também revolucionárias para os doze discípulos. Filósofos pagãos como Aristóteles chegaram à existência de Deus por meio da razão humana e se referiram a ele em termos vagos e impessoais: *sem causa, motor sem movimento.* Os profetas de Israel revelaram o Deus de Abraão, de Isaque e de Jacó de maneira mais calorosa, mais compassiva. Mas somente Jesus revelou a uma comunidade judaica atônita que Deus é verdadeiramente Pai. Se você tomasse o amor de todas as melhores mães e de todos os melhores pais que viveram no curso da história humana, toda a bondade deles, toda a paciência, fidelidade, sabedoria, ternura, força e todo amor e reunisse todas essas qualidades numa única pessoa, o amor dessa pessoa seria apenas uma pálida sombra do amor e da misericórdia presentes no coração de Deus Pai direcionado a você e a mim neste momento.

Ouvimos um belo eco disso no capítulo 8 da carta de Paulo aos Romanos, em que escreve:

> Pois vocês não receberam um espírito
> que os escravize para novamente

> temerem, mas receberam o Espírito
> que os adota como filhos, por meio
> do qual clamamos: "Aba, Pai".
>
> Romanos 8:15

Aba significa literalmente: papai, papá, tatá, meu querido pai.

Nos Estados Unidos, os psicólogos da infância informam-nos que a média dos bebês americanos começa a falar entre a idade de catorze e dezoito meses. Independentemente do sexo da criança, a primeira palavra normalmente falada nessa idade é *pa* — pa, papá, papai. Um bebê judeu que falasse o aramaico na Palestina do primeiro século na mesma faixa etária começaria dizendo *ab* — ab, ab, Aba. A revelação de Jesus não foi nada menos que uma revolução. Daquele momento em diante, nenhum cristão pode dizer que um tipo de oração é tão bom quanto outro ou que uma religião é tão boa quanto outra.

Jesus está dizendo que podemos nos dirigir ao Deus infinito, transcendente, todo-poderoso com a intimidade, a familiaridade e a confiança inabalável que um bebê de dezesseis meses de idade experimenta sentado no colo de seu pai — pa, papá, papai.

Você diria que sua vida de oração é caracterizada pela simplicidade, pela sinceridade pueril, pela confiança irrestrita e pela confortável familiaridade de um pequenino engatinhando no colo do Papai? Pela certeza de saber que o papai não se importa se o filho adormecer, se distrair com seus brinquedos ou mesmo começar a tagarelar com seus amigos pequenos, porque o papai sabe que o filho no fundo escolheu estar com ele naquele momento? É esse o espírito de sua vida interior de oração?

Jamais me esquecerei da experiência de um retiro em que participei há alguns anos no Meio-Oeste americano. Era um grupo bastante grande de pessoas ali reunidas, aproximadamente sete mil. Depois de cada culto à noite lançava-se o convite para os que precisassem de oração por cura; eu ia para uma sala lateral, onde conhecia pessoas que haviam se sentido compelidas pelo convite. Uma noite em especial, a fila ficou em formação até bem depois da meia-noite e, depois de encerrar a oração, fui diretamente para a cama, sem nem trocar de roupa, de tão exausto que eu estava. Perto de três horas da manhã, ouvi uma conversa à porta e uma voz fraca e esganiçada:

— Brennan, posso falar com você?

Abri a porta e dei de cara com uma freira de setenta anos de idade. Ela desaba a chorar.

— Irmã? O que posso fazer pela senhora?

Encontramos duas cadeiras no corredor, e sua história começou.

— Nunca contei isso a ninguém em toda a minha vida. Começou quando eu tinha cinco anos de idade. Meu pai rastejava sobre minha cama sem roupas. Ele me tocava lá e mandava que eu tocasse lá nele; dizia que era o que o médico da família nos tinha mandado fazer. Quando eu tinha nove anos, meu pai tirou minha virgindade. Quando eu tinha doze anos de idade, eu conhecia todo tipo de perversões sexuais sobre as quais você lê em livros sujos. Brennan, você tem alguma ideia de quanto eu me sinto suja? Vivi com tanto ódio de meu pai e de mim mesma, que somente ia à Comunhão quando minha ausência fosse ser percebida.

Nos poucos minutos seguintes, orei com ela pedindo a cura. Depois pedi que ela encontrasse um lugar tranquilo a cada manhã pelos próximos trinta dias, se sentasse numa cadeira, fechasse os olhos, virasse as palmas das mãos para cima e orasse esta frase repetidas vezes:

Aba, pertenço a ti.

É uma oração de exatas sete sílabas, o número que corresponde perfeitamente ao ritmo da nossa respiração. Quando você inspira — *Aba*. Como você expira — *pertenço a ti*.

Ela concordou em fazê-lo, em meio a lágrimas: "Sim, Brennan, vou fazer isso, sim."

Uma das cartas mais comoventes e poéticas de testemunho que recebi veio dessa irmã. Nessa carta, ela contava sobre a cura interior de seu coração, um perdão completo em relação a seu pai e uma paz interior que ela jamais experimentara aos setenta anos de idade. Ela encerrou a carta com estas palavras:

Um ano atrás, eu assinaria esta carta com meu nome verdadeiro na vida religiosa — irmã Mary Genevieve. Mas, de agora em diante, sou a menininha do Papai.

Esteja ciente: não se trata aqui de um sentimentalismo piegas ou de uma racionalização de desejo com vistas à autogratificação. Antes, uma mulher que ousou orar com a confiança pueril e a reverência profunda que Jesus disse seria a marca de um discípulo e, ao assim fazer, descobriu o amor furioso de seu Aba.

O maior dom que recebi em minha vida com Jesus foi a experiência de Aba. Quando tento explicar, só consigo balbuciar e gaguejar sobre o poder transformador do encontro com Aba.

Meu nome é Brennan Manning, e sou o menininho do Papai.

No evangelho de Lucas, no capítulo 22, Jesus finalmente deixa o cenáculo e se retira para o jardim do Getsêmani para entregar-se ao fardo que vem carregando. Ao que tudo indica, aquela noite Jesus teve um lampejo do que lhe custaria cumprir sua missão como servo da justiça contra o pecado. Essa consciência encheu Jesus com tamanho medo e pavor que, como expressa o teólogo Hans Kung, "Cristo era como um animal encurralado no jardim, engalfinhando em busca de um escape". Jesus afunda-se ao chão, e, como Lucas observa, suas gotas de suor transformam-se em gotas de sangue. Naquele momento, Jesus irrompe em oração espontânea. E qual você acha que é a primeira palavra, a primeiríssima palavra, que brota, sem tempo para refletir, diretamente do coração e da mente de Jesus? *Aba.*

> Pai, se queres, afasta de mim este cálice; contudo, não seja feita a minha vontade, mas a tua.

Jesus rende-se em amor confiante, obediente a seu Aba, e levanta-se do chão não mais um animal preso numa armadilha, mas em completa unidade e união com o Pai: pronto para o momento de sua morte substitutiva — que será um ato que remete ao Deus de amor furioso.

Enquanto a história de Lucas continua, Jesus é levado do Getsêmani ao sumo sacerdote, que o envia a Pilatos, que o envia ao rei Herodes, que o envia de volta a Pilatos. É Pilatos quem decreta a sentença de morte e ordena que Jesus seja levado ao Calvário.

> E pela terceira vez lhes falou: "Por quê? Que crime este homem cometeu? Não encontrei nele nada digno de morte. Vou mandar castigá-lo e depois o soltarei". Eles, porém, pediam insistentemente, com fortes gritos, que ele fosse crucificado;

e a gritaria prevaleceu. Então Pilatos decidiu fazer a vontade deles.

Lucas 23:22-24

A morte de Jesus Cristo na cruz foi seu maior ato de confiança inabalável no amor de seu Aba. Ele mergulhou nas trevas da morte, sem saber inteiramente o que o aguardava, confiante de que de algum modo, de alguma maneira, seu Aba o defenderia.

Vinte anos antes, Jesus proferiu estas palavras aos pais em pânico: "... eu devia estar na casa de meu Pai". Certamente essas palavras devem ter povoado a mente de Maria, quando ela esteve ao pé da cruz assistindo à morte de seu filho.

E então um momento na vida de Jesus que é altamente encoberto em mistério, mais profundamente incompreendido e mal-interpretado que talvez qualquer outro. Jesus, o Filho eternamente amado do Pai, é abandonado por seu Aba. O pecado mostra que encontra meios de tocar o mundo inteiro. Pela primeira vez desde a primeira-infância, Jesus sente-se sem a presença sustentadora de seu Aba, um desabrigo interior oriundo de uma solidão causada pela profunda tristeza daquele abandono, daquele desamparo.

Num brado que certamente fendeu os céus:

> "Eloí, Eloí, lamá sabactâni"
> "Meu Deus! Meu Deus! Por que
> me desamparaste?"

João da Cruz disse que jamais, em hipótese alguma, o coração humano poderá compreender a profundidade da aflição, do abandono total, da solidão indescritível e do completo desamparo que subjaziam aquele grito de Jesus. Mas mesmo nesse grito não há nenhum sinal de que Jesus jamais tenha perdido a confiança, ou a esperança, ou o descanso em seu Aba.

Depois de orar 35 anos em cima das narrativas da Paixão e da morte presentes no evangelho de Lucas, o estudioso francês da Bíblia Pierre Benoit cria que o Aba de Jesus falou a seu Filho enquanto este estava ali suspenso, nu, pregado ao madeira com cuspe a escorrer-lhe o rosto, o corpo banhado em sangue. E Benoit acredita que as palavras que Aba proferiu foram as palavras da Escritura hebraica, no Cântico dos Cânticos 2:10-13:

> Levanta-se, minha querida,
> minha bela, e venha comigo!
> Veja! O inverno passou;
> acabaram-se as chuvas e já se foram!
> Aparecem flores na terra,
> e chegou o tempo de cantar;
> já se ouve em nossa terra

> o arrulhar dos pombos.
> A figueira produz os primeiros frutos;
> as vinhas florescem e
> espalham sua fragrância.
> Levante-se, venha minha querida,
> minha bela, venha comigo.

Aba estava chamando Jesus para casa, para uma intimidade de vida e amor impossível de descrever, um lar em que toda lágrima é enxugada, onde não há mais pranto, não mais tristeza. E Jesus parece ouvir a voz de seu Aba, porque sua última palavra na cruz é uma resposta que brota da intimidade profunda e poderosa de seu próprio coração. Jesus brada: "Aba. Aba, estou voltando. Estou voltando para casa. Em tuas mãos entrego meu espírito; em teu coração entrego meu coração. Aba, está concluído, consumado. Estou voltando para casa".

E o corpo rasgado, quebrado, dilacerado de Jesus, o Filho, é absorvido pela fúria arrojada, intensa a que chamam o amor de Deus.

Desde que me mudei para Nova Orleans, envolvi-me intensamente na única colônia de leprosos dos Estados Unidos. Encontra-se em Carville, em Louisiana, cerca de 32 quilômetros a sudoeste de Baton Rouge. Já estive lá muitas e muitas vezes. Vou de quarto em quarto visitando os leprosos, vítimas do mal de Hansen.

Em certa ocasião, enquanto ainda subia a escadaria principal, uma enfermeira veio correndo em minha direção e disse: "Brennan, você pode vir depressa orar com Yolanda? Ela está morrendo, Brennan".

Eu sempre carrego um frasco de óleo comigo para ungir quem precise e deseje. Subi até o quarto de Yolanda no segundo andar e sentei-me à beira da cama. Yolanda é uma mulher de 37 anos. Cinco anos atrás, antes de a lepra começar a devastá-la, ela devia ser uma das criaturas mais estonteantemente belas que Deus criou. Não quero dizer apenas uma mulher graciosa, bonita ou mesmo atraente. Refiro-me ao tipo de beleza física cegante que faz as pessoas pararem na rua para contemplá-la. Nas fotos, Yolanda tinha os olhos castanhos maiores, mais translúcidos e mais magnetizantes que eu já vira, encravados num rosto de rara beleza, esculpido com zigomas bem elevados, um cabelo castanho bem longo até atingir a cintura delgada e um busto perfeitamente proporcional. Mas tudo isso *foi* assim.

Agora tem o nariz pressionado entre as faces. Sua boca está severamente contorcida. As duas orelhas estão distendidas. Ela não tem nenhum dedo em nenhuma das mãos, apenas dois pequenos tocos. Um dos primeiros efeitos da lepra é perder toda a sensibilidade nas extremidades do corpo, dedos dos pés e das mãos. Um leproso pode repousar a mão em um fogão quente e em chamas e não sentir absolutamente nada; isso muitas vezes causa gangrenas e exige que o membro seja por fim amputado. Yolanda tinha apenas esses dois pequenos tocos.

Dois anos antes, seu marido divorciou-se dela por causa do estigma social associado à lepra, e havia proibido seus dois filhos, rapazes de catorze e dezesseis anos, de visitar a mãe. O pai era alcoólico, e ainda por cima com frequentes e violentas oscilações de humor. Os meninos morriam de medo dele, então se submetiam sem questionar; por conseguinte, Yolanda estava morrendo uma mulher abandonada, desamparada.

Aquelas pombas abaixo,
aquelas de que se toma todo cuidado,
jamais em perigo, não podem conhecer a ternura.
Rilke

Ungi Yolanda com o óleo e orei com ela. Quando me virei para tampar de novo o frasco do óleo, o quarto se encheu de uma luz brilhante. Estava chovendo quando eu entrei; nem levantei a cabeça para ver, mas disse: "Obrigado, Aba, pela luz do sol. Aposto que vai animá-la".

Quando me voltei para olhar de novo para Yolanda — e, se eu vivesse até meus trezentos anos, nunca encontraria palavras para descrever o que vi —, o rosto dela pareceria uma explosão solar sobre as montanhas, como mil raios de sol sendo lançados de seu rosto literalmente tão brilhante, que tive de proteger meus olhos.

Eu disse:

— Yolanda, você parece muito feliz.

Com seu leve sotaque mexicano ela disse:

— Ah, padre, estou tão feliz.

Então lhe perguntei:

— Você pode me dizer por que está tão feliz?

Ela disse:

— Sim, o Aba de Jesus acabou de me dizer que quer me levar para casa hoje.

Lembro-me vividamente das lágrimas quentes que começaram a rolar sobre minhas faces. Depois de uma longa pausa, simplesmente perguntei o que o Aba de Jesus dissera. Yolanda disse:

```
        Levanta-te, minha amada,
        formosa minha, vem a mim!
        Para ti o inverno já passou,
            não mais haverá neve,
          as flores florescem na terra,
     chegou o tempo de jubilosas canções.
              O canto da rola
         está-se ouvindo em nosso campo.
           Levanta, minha amada.
         Minha Yolanda, vem a mim!
       Deixe-me ver seu rosto. E deixe-me
      ouvir sua voz, pois sua voz é doce
            e seu rosto é formoso.
         Levanta, minha amada,
         formosa minha, vem a mim!
```

Seis horas mais tarde, seu pequeno corpo leproso foi absorvido no amor furioso de seu Aba. Mais tarde, naquele mesmo dia, descobri com a equipe de funcionários que Yolanda era analfabeta. Jamais lera a Bíblia, nem nenhum outro livro, em toda a sua vida. Certamente nunca repeti aquelas palavras a ela em nenhuma de minhas visitas. Fiquei, como dizem, abismado.

medite nestas coisas...

1. Sua vida de oração é caracterizada pela intimidade de Aba? Se não, por quê?

2. Considere em oração separar alguns momentos a cada dia no próximo mês, fechando os olhos, virando para cima as palmas das mãos e orando: "Aba, pertenço a ti". Não faça nada mais, além disso; confie em mim, é o bastante.

união

Por natureza, o amor busca a união. O cético questionaria se a união é uma questão pertinente agora que testemunhamos o declínio e a queda de nossa cultura. Não seria matéria irrelevante, sobretudo em tempos como estes? Não, não é de pouca monta. Os filhos e as filhas de Aba, os que vivem numa experiência autêntica do Jesus ressurreto, respondem:

> *A união não somente transcende cada consideração política, social, cultural e religiosa e não somente lhes confere significado fundamental, mas também define a própria finalidade da vida em si.*

O convite à união é estendido não somente aos cristãos de ferrenha determinação, aqueles que são resolutos em sua busca de Deus, aqueles que pregam o evangelho e granjeiam doutorados em teologia.

> *Não se reserva aos místicos bem conhecidos ou aos que fazem coisas maravilhosas*

> *para os pobres. [...] [É para] aqueles pobres*
> *o bastante para dar as boas-vindas a Jesus.*
> *É para as pessoas que levam vidas comuns e*
> *se sentem sós. É para todos os velhos,*
> *hospitalizados ou desempregados,*
> *que abrem o coração confiando em Jesus*
> *e clamam por seu amor curador.*[1]
> Jean Vanier

Eu acrescentaria que os braços estendidos de Jesus não excluem ninguém, nem o bêbedo na entrada da porta, nem o mendigo na rua, nem *gays* e lésbicas em seu isolamento, nem os mais egoístas e ingratos em seus casulos, nem os mais injustos dos empregadores, nem os mais presunçoso dos esnobes. O amor de Cristo abraça a todos sem exceção.

Outra vez, *o amor de Deus é loucura*!

Como a brilhante contemplativa Catherine de Hueck Doherty observa em *Evangelho sem restrições*.[2]

> *O evangelho pode ser resumido dizendo-se que*
> *é a revelação tremenda, terna, compassiva,*
> *delicada, extraordinária, explosiva,*
> *revolucionária do amor de Cristo.*

> Dei-lhes a glória que me deste,
> para que eles sejam um, assim como nós
> somos um: eu neles e tu em mim.
> Que eles sejam levados à plena unidade,
> para que o mundo saiba que tu

> me enviaste, e os amaste como
> igualmente me amaste
>
> João 17:22-23

Orando em cima dessas palavras notáveis, cheguei à conclusão inescapável de que o grau do amor de Aba por mim está na proporção direta de seu amor por Jesus. Por exemplo, posso amar o carteiro em vinte por cento e meu melhor amigo em noventa por cento. Mas com Deus, não há nenhuma divisão, nem mais, nem menos. Deus me ama tanto quanto ele ama a Jesus. Incrível!

Catarina de Siena foi uma das três mulheres da tradição católica homenageada com o título de doutora em teologia por causa de sua santidade e em virtude da profundidade de seus escritos sobre a vida espiritual. Ela orava:

> *Quando então, Pai eterno, criaste essas tuas*
> *criaturas? [...] Mostras-me que nos fizeste com*
> *um só fim: em tua luz te viste compelido pelo fogo*
> *de teu amor a dar-nos vida apesar do mal que*
> *queríamos cometer contra ti, Pai eterno. Foi fogo, então,*
> *que te compeliu. Ó amor inefável,*
> *ainda que contemplasses todos*
> *os males que tuas criaturas cometeriam*
> *contra tua bondade infinita, agiste como*

> *se não tivesses enxergado e fixaste o teu olhar*
> *somente na beleza da tua criatura, por quem te*
> *havias apaixonado como alguém embriagado e louco*
> *de amor.* [...] *És o fogo, nada senão um*
> *fogo de amor, enlouquecido com o que criaste.*

Creio que somente alguém que de fato experimentou Deus (um místico) ousaria orar com tamanha ousadia. Uma experiência interior, transcendente, era o alicerce de sua oração audaz. Em outro livro meu, *Confiança cega*,[3] abordei nossa necessidade urgente de artistas, místicos e palhaços. Mesmo as introspecções intelectuais mais profundas não conseguem promover a oração intrépida, como a colorida invocação de Catarina "Ó Divino Louco...".

> *A única cura para a angústia do*
> *homem moderno é o misticismo.*
> Thomas Merton

Por recomendação de meu líder espiritual, Vince Hovley, comecei a ler o comentário sobre o evangelho de João escrito por Thomas Brodie. Vince o conheceu porque um acadêmico cristão a quem ele muito admira, Jean Vanier, escreveu que, de todos os inúmeros comentários sobre João, o de Brodie era o mais útil.

Brodie defende persuasivamente que o ponto de partida da teologia de João é *permanecer em uma união que descansa*. O estudioso irlandês primeiramente estabelece a união de Jesus com seu Pai. O prólogo fala de Jesus "junto do Pai" (1:1,18). À medida que o evangelho se desenrola, Jesus fala não somente do fato de ser um com o pai, mas também de sua união conosco. "Faça seu lar em mim assim como eu faço o meu lar em você" (15:4, *The Message*). A cena extraordinária do amado reclinando-se sobre o peito de Jesus (13:23-25) e a repetição surpreendente que João faz desse momento íntimo no fim de seu evangelho (21:20) revelam sua intenção de que a permanência numa união que descansa fosse a estrutura de seu evangelho.

Brodie escreve:

Assim, há uma forma de união que descansa e que existe antes de tudo em Deus, mas na qual os seres humanos podem participar tanto durante esta vida quanto durante uma vida posterior.

Palavras como *união*, *fusão* e *simbiose* dão apenas uma ideia da união e da unidade inefáveis com Jesus que o apóstolo Paulo experimentou: "... já não sou eu quem vive, mas Cristo vive em mim" (Gl 2:20). Nenhuma palavra humana é nem de longe suficiente para transmitir o anseio misterioso e furioso que Jesus tem de que você e eu vivamos em seu sorriso, agarrados a suas palavras. Mas a palavra *união* aproxima-se bastante, chega bem perto mesmo; é uma palavra repleta de realidade que ultrapassa a compreensão, a única realidade pela qual vale a pena ansiar e ter paciência, a única realidade diante da qual devemos permanecer bem calados.

> Parem de lutar!
> Saibam que eu sou Deus!
>
> Salmos 46:10

Depois de ler Brodie, concluí que, se eu tivesse de viver minha vida toda de novo, não somente escalaria mais montanhas, nadaria mais rios e assistiria a um número maior de ocasos; não apenas lançaria fora minha garrafa térmica, minha capa de chuva, meu guarda-chuva, meu paraquedas e meu bote salva-vidas; não apenas sairia descalço mais cedo na primavera e permaneceria lá fora por mais tempo no outono; mas não gastaria nem um minuto mais monitorando meu crescimento espiritual. Não, nem um sequer.

Gerald May é incisivo e cheio de humor:[4]

> *O processo inteiro (do autodesenvolvimento) pode ser muito empolgante e cativante. Mas o problema é que jamais acaba. A fantasia é que, se a pessoa tomar a direção certa e simplesmente trabalhar de forma árdua para aprender coisas novas, e crescer o bastante, e se realizar, terá chegado lá. Nenhum de nós tem total certeza de onde encontrar, mas obviamente tem alguma relação com o descanso.*

Em retrospectiva, minhas ponderações maçantes sobre os estágios purgativos, iluminativos e unitivos de minha vida espiritual, minha busca assídua por santidade, minha preocupação com meu pulso espiritual e meus jejuns, mortificações e penitências têm gerado uma pseudobeatitude e a notória ilusão de que estou abrigado na sétima mansão da perfeição espiritual.

O que eu realmente faria se eu pudesse fazer tudo de novo? Atendendo o conselho de João, eu simplesmente faria a coisa seguinte em amor.

Diferentemente dos evangelhos sinóticos, João reconhece a divindade de Jesus logo na primeira frase de seu evangelho: "No princípio era aquele que é a Palavra". A experiência de reconhecimento se mostrou decisiva em minha vida; a causa imediata da mudança psicológica e espiritual. Como o estudioso bíblico John McKenzie explica:[5]

> *Reconhecemos que a pessoa que encontramos fala a nosso mais íntimo ser, supre nossas necessidades, satisfaz nossos desejos. Reconhecemos que essa pessoa dá sentido à vida. Não me refiro simplesmente a um novo sentido, porque percebemos que antes de encontrarmos essa pessoa a vida não tinha nenhum sentido real. Reconhecemos que essa pessoa nos revelou não somente a si mesma, mas também nosso verdadeiro eu.*

> *Reconhecemos que não podemos ser esse nosso verdadeiro eu senão pela união com essa pessoa. Nele, o obscuro é iluminado, o incerto abre caminho para o certo, a insegurança é substituída por um profundo senso de segurança. Nele percebemos que chegamos à compreensão de muitas coisas que nos aturdiam. Reconhecemos nele força e poder que percebemos passando dele para nós. Certamente, ainda que de modo obscuro, reconhecemos que nessa pessoa encontramos Deus, e que não encontraremos Deus de nenhuma outra forma.*

Mais uma vez, o amor por sua natureza busca a união. Com a graça do reconhecimento, vem a consciência tremenda e alarmante de que Jesus, a encarnação do anseio furioso de Deus, quer mais que um relacionamento íntimo com você e comigo; ele não busca nada mais que *união*. As implicações inumeráveis dessa unidade significam coisas diferentes em dias diferentes. Sentado diante do computador neste momento, significa viver em seu sorriso e agarrar-me a cada uma de suas palavras.

Deixando por um instante sua torre de marfim de exegese, Brodie, o homem selvagem e disciplinado, fica cada vez mais lírico:[6]

> *A união com a realidade essencial não é uma ideia abstrata; é uma experiência espiritual de saber que o Deus atemporal está à porta convidando para uma união plena. É uma atenção dispensada ao presente, uma prontidão, a cada momento, de receber a realidade, de profundamente*

apreciar mesmo as coisas mais simples. Nas palavras do poeta Paul Murray: "Este momento, *a graça deste momento único sem êxtases...*".

medite nestas coisas...

1. Com que frequência você monitora seu crescimento espiritual — diversas vezes ao dia? Uma vez por mês? Duas vezes por ano?

2. Você seria capaz de não mais dedicar nem um minuto sequer ao monitoramento de seu crescimento espiritual? Você faria isso? Se for assim, talvez você venha a descobrir que gosta de ovos verdes com presunto.[7]

momento não planejado de oração

Jesus, palavras humanas não podem comportar o peso de tua misericórdia e compaixão. Minha união contigo é como estar tão entrelaçado, que a vida parece impossível sem ti. Separado de ti, em meus dias de vinho amargo e rosas emurchecidas, levei uma vida de sombras. Simplesmente não sei quem sou à parte de ti. Meus ossos dizem "obrigado" por este momento agora. Amém.

A banalização e a simplificação comum da religião popular alimentam o eu idealista, perfeccionista e neurótico, que se fixa numa busca desprovida de graça por conquistar dignidade para a união, ao mesmo tempo que permite que prostitutas e sonegadores de impostos dancem no reino. Nossas estratégias de autoengano convencem-nos de que a permanência numa união descansada com Jesus é demasiadamente custosa, não deixando espaço algum para dinheiro, ambições, sucesso, fama, sexo, poder, controle e orgulho de lugares, ou seja, a armadilha fatal da autorrejeição, que proíbe assim que descabeçados e ignóbeis medíocres e desleais como eu tenham intimidade com Jesus.

Enquanto não aprendermos a viver pacificamente com aquilo que Andre Louf chama "nosso grau surpreendente de fraqueza", enquanto não aprendermos a viver graciosamente com aquilo que Alan Jones chama "nossa extrema fragilidade física", enquanto não deixarmos que o Cristo que se associou com prostitutas e desonestos seja nossa verdade, o eu falso, fraudulento, motivado pela covardia e pelo medo continuará a nos distanciar da *permanência descansada em união*.

Os cristãos jovens enchem-se dessas banalizações e simplificações. Não funciona mais para eles. Estão cansados dos excessos de minúcias rabínicas, do aparato litúrgico vazio, dos detalhes da Escola dominical, as vozes fantasmagóricas do velho regime; rejeitam mentes e métodos estagnados e, por sua indiferença às estruturas e às autoridades tradicionais, declararam-nos falidos, inúteis.

Escutando alunos de faculdades evangélicas tradicionais nos últimos vinte anos, eu os ouço fazendo uma pergunta diferente que não pode calar, uma pergunta na qual se resumem como em nada mais a lei e os profetas:

Será que estamos respondendo ao amor de Jesus
que vive dentro de nós de maneira
concreta e constante em nosso
amor de uns para com os outros?

Não existem paliativos para a fé crua. Ao vivermos na prática nossa união com Jesus, um dia de cada vez, a questão mais decisiva é *crer*. Em contraposição ao Jesus domesticado que nos faz sentir bem com o evangelismo televisivo, comprometido com nossa prosperidade financeira, o Cristo do evangelho de João, que fez seu lar dentro de nós, convida-nos a andar diariamente com ele em serviço humilde, mesmo até a morte. Podemos ter conquistado diplomas de pós-graduação; podemos ter dominado princípios bíblicos; podemos desempenhar papéis de liderança secular e espiritual; podemos ter escrito livros sobre maturidade cristã; e nossa sabedoria pode ter sido aguçada nas rodas de carborundo do mundo. Tanto melhor se inspiraram uma fé crua, tanto pior para os de dentro que dispensam a *união*, a *fusão* e a *simbiose* como metáforas meramente sofisticadas que não podem ser interpretadas literalmente.

Crer é viver sabendo que João 15:4 é verdade.

> Permaneçam em mim,
> e eu permanecerei em vocês.
> Nenhum ramo pode dar fruto por si mesmo,
> se não permanecer na videira.
> Vocês também não podem dar fruto,
> se não permanecerem em mim.

É triste dizer, mas a frase conhecida "o amor incondicional de Deus" tornou-se um clichê, uma expressão verdadeira, mas batida, desprovida de qualquer sentido real. As palavras, como qualquer outra coisa que seja em demasia, logo decrescem em valor, perdem seu fio e deixam de penetrar em nossa vida. Quando as expressões, como *amor incondicional*, ficam na ponta da língua com muita facilidade, o ego de quem fala pode experimentar um ímpeto temporário de alegria, usando um lema de salvação para *iniciados*, mas seu coração permanece sem mudanças.

Como sei disso? Bem, há muito tempo sou atingido por conceitos. Eles engajam minha mente, caem com energia em meus processos de pensamento e agitam minhas emoções. *Amor incondicional* como conceito já me transportou para o nirvana intelectual, tendo motivado a leitura de pelo menos cinquenta livros sobre temas relacionados e me fazendo crer que eu tivesse chegado *lá*. Até que chegou o dia em que fiquei chocado por descobrir que nada havia mudado. Nada daquilo passara de uma viagem mental. Os pensamentos elevados e os conceitos impessoais deixaram intacta minha autoimagem vil e imutável minha forma de orar.

Enquanto o amor de Deus, que não conhece fronteiras, limites ou pontos de ruptura não for interiorizado por meio de uma decisão pessoal; enquanto o anseio furioso de Deus não tomar conta da imaginação; enquanto o coração não for congraçado com mente pura e simplesmente por meio da graça, nada acontece. A idolatria das ideias deixou-me inchado, tacanho e intolerante em relação a qualquer ideia que não coincida com as minhas.

O amor irrefreável e irrestrito de Deus não é simplesmente uma ideia inspiradora. Quando se impõe à mente e ao coração com a realidade nua e crua da verdade ontológica, determina por que e em que momento você se levanta pela manhã, como você passa suas noites, como você gasta seus finais de semana, o que você lê e com quem você se relaciona; influi sobre aquilo que lhe parte o coração, aquilo que o impressiona e espanta e aquilo que lhe traz felicidade ao coração.

O pensamento revolucionário segundo o qual Deus me ama como sou e não como deveria ser requer um repensar radical e um profundo ajuste emocional. Pouco admira que o gigante Basílio Hume, de Londres, tenha afirmado que os cristãos acham mais fácil crer que Deus existe do que crer que Deus os ama.

Em sua obra magnífica *God First Loved Us* [Deus nos amou primeiro], Antony Campbell observa:[1]

> *A princípio, eu cria que a aceitação de um Deus de amor implicasse uma pequena mudança de atitude, suficiente, mas relativa. Afinal de contas, estava nos lábios de tanta gente. Quanto mais eu trabalhava nisso, mais percebia que a aceitação por fé do amor incondicional de Deus era não apenas tremendamente significativa, mas exigia*

> *uma grande mudança de atitude [...] a grande mudança pode ser as imagens que temos de Deus e de nós mesmos. Quão radicalmente se refaz a imagem que fazemos de Deus se levarmos a sério a crença em Deus como alguém que nos ama profundamente, apaixonadamente e incondicionalmente? Quão radicalmente precisamos reconstruir nossa própria autoimagem se nos aceitarmos como amáveis — profundamente, apaixonadamente e incondicionalmente amados por Deus?*

Dois corolários importantes brotam dessa revolução transformadora. Primeiro, se continuarmos a retratar Deus como um *controller* de mente obtusa, um oficial alfandegário mesquinho assaltando nossa bagagem moral com seu vasculho, como um policial com um cassetete pronto para nos golpear na cabeça toda vez que tropeçamos e caímos, ou como um ladrão excêntrico, caprichoso e mal-humorado que se deleita em chover em nosso desfile e roubar nossa alegria, negamos completamente o que João escreveu em sua primeira carta (4:16): "Deus é amor". Nos seres humanos, o amor é uma qualidade, uma virtude altamente valorizada; em Deus, o amor é sua identidade.

Segundo: se continuarmos a nos enxergar como leprosos morais e fracassos espirituais, se nossa vida permanecer sob a sombra da baixa autoestima, da vergonha, do remorso, da culpa insalubre e do ódio próprio, rejeitaremos o ensino de Jesus e nos agarraremos a nossa autoimagem negativa.

No quinto século, Agostinho escreveu esta frase de grande lirismo:

> *Quia amasti me, fecisti me amabilem.*
> [Em me amares, tornaste-me amável.]

pequenos dons

Se eu tivesse de trocar minhas palavras pelas de outro autor, eu as trocaria pelas palavras do seguinte parágrafo de Hans Urs von Balthasar:[1]

> *Eu lhe digo: bem-aventurado é aquele que se expõe a uma existência nunca antes dominada, que não transcende, mas antes se entrega à minha graça sempre transcendente. Bem-aventurados não são os iluminados, dos quais cada pergunta foi respondida e que se deleitam com seus sublimes lampejos de aguçada percepção, os maduros e prontos a quem resta somente a ação de cair da árvore. Bem-aventurados são antes os perseguidos, os assediados quem devem diariamente se ver diante de meus enigmas, incapazes de resolvê-los. Bem-aventurados são os pobres em espírito, aqueles a quem lhes falta aquela esperteza. Ai dos ricos, e ai dos duplamente ricos em espírito! Embora nada seja impossível para Deus, é difícil para o Espírito mover seus corações gordos. Os pobres são dispostos e fáceis de conduzir. Como filhotes de*

cachorro, não tiram os olhos da mão de seu mestre, para ver se talvez ele lhes lançará algum bocado de seu prato. Assim também, cuidadosamente, os pobres seguem o meu comando de que escutem o vento (que sopra onde quer), mesmo quando muda de direção. A partir do céu podem ler o tempo e interpretar os sinais dos tempos. Minha graça é despretensiosa, mas os pobres se satisfazem com pequenos dons.

cura

Há poucos anos fui convidado para ser o palestrante num café da manhã no gabinete do governador do estado americano de Indiana. Vi-me sentado com Evan Bayh, o então mais jovem governador dos Estados Unidos (36 anos de idade). Ele é também um cristão muito consagrado. Evan voltou-se para mim e disse:

— Brennan, você simplesmente se encontra em cada brecha e em cada canto dos Estados Unidos. Está em todas as faculdades e universidades, desde a Cruzada Estudantil até o Alvo da Mocidade, e em um número incrível de igrejas também. O que você está ouvindo o Espírito de Deus dizer à igreja americana?

Eu disse:

— Bem, governador Bayh, se há uma coisa que eu ouço com clareza cada vez maior é que Deus está chamando cada cristão para participar pessoalmente do ministério de cura de Jesus Cristo.

A cura é uma resposta a uma crise na vida de outra pessoa. É uma resposta suficiente, uma resposta satisfatória a uma crise na vida de outrem. E sempre que a palavra *crise* é usada no Novo Testamento grego, é traduzida em inglês por *juízo* ou *julgamento*. Exatamente isso — *juízo*. A cura é uma resposta que eu dou a um momento decisivo na vida de um irmão ou irmã; quer eu responda, quer não, eu exerci um juízo.

A cura passa a ser a oportunidade de transmitir a outro ser humano o que recebi do Senhor Jesus; a saber, sua aceitação incondicional de mim como sou, não como deveria ser. Ele me ama, seja em estado de graça, seja de desgraça, quer eu viva de acordo com as expectativas elevadas de seu evangelho, quer não. Ele vem a mim onde eu vivo e ama-me como sou.

Sempre que transmiti essa mesma realidade a outro ser humano, o resultado na maioria dos casos foi cura interior do coração dessa pessoa por meio do toque da minha afirmação. Afirmar uma pessoa é enxergar o bem que há nela, o qual ela mesma não consegue enxergar, e repetir isso apesar das aparências em contrário. Por favor, não se trata aqui de um otimismo de Poliana, que é cego à realidade do mal, mas antes um sistema fino de radar que se sintoniza no verdadeiro, no bom e no belo. Quando uma pessoa é despertada para aquilo que ela é e não para aquilo que ela deixou de ser, o resultado mais frequente será a cura interior de seu coração por meio do toque da afirmação.

> Finalmente, irmãos, tudo o que for
> verdadeiro, tudo o que for nobre,
> tudo o que for correto, tudo o que for puro,
> tudo o que for amável, tudo o que for
> de boa fama, se houver algo excelente
> ou digno de louvor, pensem nessas coisas.
>
> Filipenses 4:8

Quando lemos os Evangelhos com cuidado, observamos esse dom extraordinário que Jesus tinha. Não estou falando da cura física em si, mas da cura interior por meio de uma palavra simples, um olhar, um relance, um toque. Examine a famosa cena com o baixinho Zaqueu. Ele está cobrando impostos para Roma de seu próprio povo, recebendo comissão de tudo o que conseguir arrecadar. É um traidor da causa judaica, e os judeus estão no pé dele; e assim o excomungam, uma pena terrível naquela época. Basicamente, significava que Zaqueu, judeu por toda a vida inescapavelmente, jamais poderia outra vez fazer uma refeição num lar judeu. Jamais poderia ir à sinagoga no sábado ou subir a Jerusalém para as grandes festas.

Certo dia, Zaqueu está em sua coletoria, contando o dinheiro, e fica sabendo que o profeta de Nazaré está passando por ali. Ele deseja verificar com os próprios olhos; assim, percorre a rua. Mas lembre-se: esse é Zaqueu, o homem de pequena estatura. É tão baixo, que não consegue enxergar sobre os ombros dos homens mais altos; por isso, escala um sicômoro. Interessante, não é mesmo? Ele ficou num galho para ver Jesus.

Jesus olha para cima e diz: "Zaqueu, desce. Quero jantar em sua casa hoje".

Ora, quando um judeu ortodoxo, que Jesus certamente era, diz "Quero jantar com você", ele está dizendo: *Quero fazer amizade com você.* Todo o restante naquela comunidade judaica cheia de justiça própria e julgadora foi mais e mais fundo no isolamento, decidindo aturar Zaqueu do jeito que ele era. Mas Jesus olhou para ele e acreditou naquilo em que ele poderia se tornar; por isso o convidou para jantar.

E que acontece? Zaqueu dá um salto da árvore. Sentimentos que estavam secos havia anos em seu coração de repente começam a jorrar, fervilhar, converter todo o seu ser. Ele começa a choramingar: "Ah, ah, vou restituir quatro vezes tudo o que roubei. E darei metade de meus bens aos pobres". O imperativo de Jesus "Desce" mudou a direção da vida do homem de pequena estatura.

Há um Zaqueu em sua vida? Alguém de quem todos já desistiram? Considerado incapaz de qualquer outro bem? Tia-avó, primo distante, cônjuge, ex-cônjuge, cunhado ou cunhada, sogro ou sogra, genro ou nora, membro de sua igreja, um vizinho em sua rua, um colega de trabalho? Alguém de quem você tenha dito: "Perdi meu tempo tentando fazer você compreender alguma coisa. Você é incorrigível. Graças a Deus, estou quites com você e livre de você. Não ouse voltar aqui"? Talvez você não dissesse isso porque seria cruel. Eu também não gosto de proferir palavras cruéis. Faz-me sentir culpado, e não quero me sentir culpado. Então, eu pego leve; dou a isso o nome de fria cordialidade e indiferença educada. *Bom dia, ser desprezível*. Nas igrejas por todo o nosso país, permitimos que esse lixo se travista do amor de Jesus.

Jesus disse que devemos amar uns aos outros "como eu os amei", um amor que talvez conduza ao presente sangrento e angustiado de você mesmo; um amor que perdoa setenta vezes sete, esse não mantém nenhum registro de erros. Jesus disse que é esse, justamente esse amor o critério, a única norma, o padrão do discipulado no Novo Israel de Deus. Ele disse que você será identificado como seu discípulo, não por frequentar a igreja, carregar sua Bíblia debaixo do braço ou por entoar louvores. Não, você será identificado como pertencente a ele por apenas um sinal: o respeito profundo e delicado de uns para com os outros, o amor cordial impregnado com reverência para a dimensão sagrada da personalidade humana por causa da substituição misteriosa de Cristo em lugar do cristão.

Mateus 25:34 diz que o rei dirá: "Venham, benditos de meu Pai! Recebam como herança o Reino que lhes foi preparado desde a criação do mundo". Ele me diz que sou bendito, amado, belo e agradável aos olhos de meu Aba, a ponto de me tornar beneficiário do reino. Por quê? Não porque gritei "Jesus é Senhor", mas porque um homem estava com fome e eu lhe dei de comer. Uma mulher estava sedenta e eu lhe dei de beber. Acolhi o estrangeiro, vesti o nu, consolei o doente e visitei o prisioneiro. Naquele dia, muitos de nós protestarão: "Senhor, quando?". E aí vem a revelação das revelações, o fim da maior história jamais contada, quando Jesus olha em meus olhos e diz "O que vocês fizeram a algum dos meus menores irmãos, a mim o fizeram".

Qual é o sinal por excelência do verdadeiro discipulado? A noite antes de Jesus morrer, ele não deixou nenhuma dúvida na mente de qualquer pessoa. "Um novo mandamento lhes dou: Amem-se uns aos outros. Como eu os amei [...]. Com isso todos saberão que vocês são meus discípulos..." (Jo 13:34-35).

O apóstolo Paulo deve ter compreendido a mente de Jesus mais que qualquer pessoa que jamais tenha vivido. Ele resume sua compreensão de toda a mensagem de Jesus em Gálatas 5:6, quando escreve: "... mas sim a fé que atua pelo amor". De acordo com o critério de grandeza de Paulo no Novo Israel de Deus, a pessoa mais semelhante a Cristo, mais próxima do coração de Aba, não é a que gasta o maior tempo em oração. Não é a que tem o maior número de PhDs. Não é a que tem a maior responsabilidade a ela confiada.

Não é o pastor da maior megaigreja. Não, é o que ama mais. Isso não é minha opinião. São as palavras de Gálatas 5, que nos julgarão.

De acordo com essa substituição misteriosa de Cristo pelo cristão, o que fazemos uns aos outros fazemos a Jesus. O que Jesus faria ao Zaqueu de sua vida e de minha vida? Ele pararia, olharia para ele e o amaria com tal simplicidade a ponto de desarmá-lo, com tal ternura com a qual jamais esteve habituado e com uma alegria tão contagiante, que arrancaria de seu coração insensibilizado verdadeiros arroubos de felicidade, de gratidão e de maravilhamento. Jesus esperava o máximo de cada homem e mulher; e por trás dos gestos mais ranzinzas deles, mecanismos de defesa mais atordoantes, da grosseria, da arrogância, da presunção por se acharem muito dignos, do silêncio, e das zombaria e pragas, Jesus enxerga a criancinha que não era amada o bastante — *o menor desses pequeninos* que cessara de crescer porque alguém havia cessado de crer nele.

Como conseguimos dificultar tanto as coisas?

Não muito tempo atrás, eu estava falando com o pessoal do ministério americano *Navigators* [Navegadores], e eles me perguntaram:

— Você tem uma palavra para nós?

Eu disse:

— Sim, tenho. Em vez de ser identificados como uma comunidade que memoriza as Escrituras, por que não ser identificados como uma comunidade de amantes profissionais que levam as pessoas a dizer "Como eles se amam!".

Por que consideramos sem pertinência o critério de Jesus para o verdadeiro discipulado? Jesus disse que o mundo o reconhecerá como pertencente a ele por somente um sinal: como vocês se tratam na rua todos os dias. Ou você vai deixar as pessoas sentindo-se um pouco melhores, ou piores. Ou você as afirmará, ou as negará, mas não haverá nenhum intercâmbio neutro. Se nós como comunidade cristã levássemos a sério o fato de que a prova de nosso amor por Jesus é nosso amor de uns para com os outros, estou convencido de que mudaríamos o mundo. Estamos negando para o mundo o único testemunho que Jesus pediu:

> Amem-se uns aos outros
> como eu os amei.
>
> João 15:12

Nos idos da década de 1960, eu estava lecionando em uma universidade de Ohio, e havia um aluno no *campus* que, pelos padrões da sociedade, seria considerado feio. Era baixo, extremamente obeso, tinha um quadro terrível de acne, tinha um grave ceceio e seu cabelo estava crescendo como o cavalo de Lancelot — em quatro direções ao mesmo tempo. Ele usava o uniforme da época: uma camiseta que não tinha sido lavada desde a Guerra Hispano-Americana, calças de brim com uma borboleta nas costas e, naturalmente, andava descalço.

Em todos os dias da minha vida, nunca encontrei ninguém com uma autoestima tão baixa. Ele me disse que, quando olhava no espelho a cada manhã, ele cuspia na imagem que via. Obviamente nenhuma menina do *campus* queria namorá-lo. Nenhuma agremiação o queria como membro.

Ele entrou no meu escritório um dia e disse, com o seu ceceio bem evidenciado:

— Ah, você é novo no *campus*. Bem, meu nome é Larry Malaney, e sou um *ategnóstico*.

Eu perguntei:

— Você é *o quê?* — Repetiu o que dissera e eu lhe disse:
— Poxa, parabéns! Se você um dia se tornar um ateu, eu o levo para jantar e celebraremos sua conversão.

A história que vou lhe contar agora fala do que Larry recebeu de Natal certo ano.

O Natal chegou para Larry Malaney, e agora ele estava de volta com os pais em Providence, no estado de Rhode Island. O pai de Larry é um típico irlandês com aspirações de classe média. Agora existem irlandeses com aspirações de classe média e irlandeses corticentos. Um irlandês com aspirações de classe média, mesmo nos dias mais quentes do verão, não vem para a sala de jantar sentar à mesa sem vestir um terno, geralmente um terno preto de risca de giz, camisa branca engomada e uma gravata com um grande nó perto do pescoço. Nunca permitirá que suas costeletas crescessem por cima da orelha e sempre falará num tom de voz baixo e suave.

Naquela primeira noite em casa, Larry veio para a mesa de jantar cheirando como um bode. Ele e o pai têm o número habitual de brigas e reconciliações. E assim se iniciam as férias típicas na casa dos Malaneys. Depois de várias noites, Larry diz a seu pai que precisa voltar para a escola no dia seguinte.

— A que horas, filho?

— Seis horas.

— Bem, vou pegar o ônibus com você.

Na manhã seguinte, pai e filho viajam no ônibus em silêncio. Então saem do ônibus, porque Larry precisa tomar um segundo ônibus que o levará até o aeroporto. Bem do outro lado da rua estão seis homens debaixo de uma marquise, todos trabalham na mesma fábrica têxtil que o pai de Larry. Começam a fazer comentários ruidosos e depreciativos como:

— Oinc, oinc, olha o porco gordo. Vou dizer uma coisa, se esse porco fosse meu filho, eu o escondia no porão de tanta vergonha.

Outro disse:

— Eu não. Se aquele porcalhão fosse meu filho, estaria tão rápido fora da porta, que não saberia se estava indo a pé ou a cavalo. Ei, porco! Qual o melhor oinc que você pode nos oferecer?!

E continuavam assim os ataques brutais.

Larry Malaney contou-me que, naquele momento, pela primeira vez em sua vida, seu pai estendeu os braços e o abraçou, o beijou no rosto e disse: "Larry, se sua mãe e eu vivermos até duzentos anos, não seria suficiente para agradecer a Deus pelo presente que ele nos concedeu: você. Estou muito orgulhoso de tê-lo como filho!".

Seria difícil descrever em palavras a transformação que ocorreu em Larry Malaney, mas vou tentar. Ele voltou para a escola e continuou *hippie*, mas se aprumou o melhor que pôde. Milagre dos milagres, Larry começou a namorar uma menina. E ainda por cima, tornou-se o presidente de uma das agremiações. Diga-se de passagem, foi o primeiro aluno na história de nossa universidade a se formar com média extraordinária. Larry Malaney tinha uma mente brilhante.

Ele veio a meu escritório um dia e disse: "Conte-me sobre esse homem Jesus". E nas seis semanas seguintes, em encontros que aumentavam meia hora a cada dia, compartilhei com o Larry o que o Espírito Santo me tinha revelado sobre Jesus. No fim daquelas seis semanas, Larry disse: "Tudo certo".

No dia 14 de junho de 1974, Larry Malaney foi ordenado sacerdote na diocese de Providence, em Rhode Island. E nos últimos vinte anos, tem sido um missionário na América do Sul, um homem totalmente entregue a Jesus Cristo. Você sabe por quê? Não foi por causa das seis semanas sentado no escritório do Brennan, enquanto eu lhe falava sobre Jesus. Não, foi por causa de um dia, há muito tempo, numas férias de Natal, num ponto de ônibus, quando seu pai irlandês de aspirações de classe média o curou. Sim, seu pai o curou. Seu pai teve a coragem de sair de trás da trincheira e escolher a autoestrada da bênção em face de maldições e insultos. Seu pai olhou profundamente nos olhos de seu filho, viu o bem em Larry Malaney que Larry não conseguia enxergar por si só, afirmou-o com um amor furioso e mudou todo o rumo da vida de seu filho.

Alojado em seu coração está o poder de entrar na vida de alguém e lhe dar o que o brilhante Paul Tillich chamou "a coragem de ser". Você consegue compreender isso? Você tem o poder de dar a alguém *a coragem de ser*, simplesmente pelo toque de sua afirmação. Pode significar que você precisa estender a mão da reconciliação a alguém que você afastou. Pode significar fazer uma chamada telefônica a alguém com quem você teve um conflito. Pode significar fazer uma chamada telefônica interurbana a alguém de sua família com quem você não tem falado há anos. Pode significar convidar um colega de trabalho que você não suporta para almoçar ou jantar.

> Alguns traziam crianças a Jesus para que ele tocasse nelas, mas os discípulos os repreendiam. Quando Jesus viu isso, ficou indignado e lhes disse: "Deixem vir a mim as crianças, não as impeçam; pois o Reino de Deus pertence aos que são semelhantes a elas. Digo-lhes a verdade: Quem não receber o Reino de Deus como uma criança, nunca entrará nele". Em seguida,

> tomou as crianças nos braços,
> impôs-lhes as mãos e as abençoou.
>
> Marcos 10:13-16

Nos idos de 1970, eu estava vivendo em um monastério na Filadélfia. Alguns amigos milionários de Nova York me telefonaram e perguntaram se eu gostaria de vir para a cidade passar a semana, assistir a uma peça na Broadway, comer no Sardi's. Essa, caro leitor, não foi uma decisão difícil de tomar.

Numa das noites fomos ao teatro, e depois do primeiro ato saímos do prédio para o intervalo. Os maridos — de *smoking* — iniciaram — uma densa discussão com as esposas — cheias de joias e em trajes de gala — a respeito da influência do filósofo alemão Schopenhauer sobre o "teatro do absurdo" de Samuel Beckett. Obviamente, perguntaram-me o que eu pensava. Eu estava a ponto de fazer uma observação tão profunda, que desfaria a discussão por toda a eternidade, quando ela passou por nós.

Ela não era uma das pessoas bonitas. Vestia uma boina de taxista, um terno masculino com duas fileiras de botões, bolsos com as abas para fora, furos nas meias e tênis.

Quando se aproximou, observei que estava vendendo o *Variety*, um jornal de entretenimento. Naqueles dias, custava 75 centavos de dólar. Então, num gesto de grande generosidade, enfiei a mão no bolso, dei-lhe um dólar e acenei que estava dispensada, e assim retornei aos meus amigos abastados que esperavam minha perspicaz observação sobre o absurdo.

E então ela disse:

— Padre?.

Naqueles dias, eu sabia que não poderia me distinguir por minhas virtudes, então eu me distinguia por meus trajes; sempre usava o colarinho clerical.

— Padre, posso falar com o senhor um minuto?

Falei rispidamente:

— O quê? Não vê que estou ocupado? Você costuma interromper as pessoas no meio de uma conversa? Espere ali e falarei com você quando terminar.

Ela sussurrou:

— Jesus não falaria com Maria Madalena dessa forma.

E então se foi.

Eu tratara a mulher como se fosse um objeto, como uma daquelas máquinas de refrigerante em que basta você colocar uma moeda e esperar a bebida que escolheu. Não tinha mostrado nenhuma apreciação pelo pequeno serviço que ela estava prestando. Simplesmente nenhum interesse pelo pequeno drama de seu cotidiano. Nenhum grama de amor cordial impregnado de respeito pela dimensão sagrada de sua personalidade. Sinceramente, eu estava tão absorto em impressionar meus amigos milionários com quão esteticamente brilhante eu era, que a perdi de vista. Se ela tivesse uma lasca que fosse de autoimagem negativa quando se aproximou de mim, eu teria transformado aquele copo d'água numa tempestade.

Agora imaginemos, apenas imaginemos, que essa mulher tenha vindo à igreja no domingo e lá estava Brennan Manning, no púlpito, exortando-a para crer que Deus a ama incondicionalmente como ela é e não como ela deveria ser.

Minha hipocrisia fora do Shepherd Theatre aquela noite fez o teatro do absurdo parecer convidativo. Como ela poderia crer no amor de um Deus que ela não pode ver quando não pôde encontrar nem mesmo um traço de amor no olhar de um irmão com colarinho clerical branco a quem ela podia ver? Uma humanidade ressequida tem a capacidade encolhida para receber os raios do amor de Deus.

E saberão que somos cristãos por nosso amor, por nosso amor, sim, saberão que somos cristãos por nosso amor. Ou não.

Não conheço nenhuma ilustração de cura por meio de afirmação que seja mais poderosa do que a do diálogo entre Dom Quixote e Aldonsa, no musical *Homem de La Mancha*. Uma versão popular em filme foi lançada em 1972 estrelado por Peter O'Toole e Sophia Loren; tanto o musical quanto o filme basearam-se no *Dom Quixote*, de Miguel de Cervantes. Se você não conhece bem a história, Aldonsa é uma prostituta. Dormiu com todos os homens da prisão, às vezes por dinheiro, às vezes apenas por puro prazer. Consequentemente, perdeu cada vestígio de respeito próprio. Sente-se assoberbada de culpa e ódio próprio por causa de sua vida sexual promíscua.

E então um dia chega Dom Quixote, e entra em sua vida de forma totalmente altruísta. Torna-se seu amigo e inicia a conquista, introduzindo em sua vida um senso de dignidade, valor e propósito. Todos os seus esforços são inúteis. Ela o rejeita em cada oportunidade. Mas ele continua a buscá-la, chamando-a pelo nome latino de *Dulcineia*, que significa minha pequena doçura. Em outras ocasiões, ele a chama de *minha dama*, para dar-lhe um ar aristocrático. Dom Quixote descreve sua aparência nos seguintes termos:[1]

> ... *seu nome é Dulcineia, sua região, El Toboso,*
> *uma vila de La Mancha, sua condição deve ser*
> *pelo menos a de uma princesa, já que é minha*
> *rainha e senhora, e sua beleza supra-humana,*
> *já que todos os atributos impossíveis e fantasiosos*
> *da beleza que os poetas aplicam a suas senhoras*
> *são nela encontrados; pois seu cabelo é da cor do ouro;*
> *sua testa como os Campos Elíseos; suas sobrancelhas,*
> *arcos-íris; seus olhos, sóis; suas faces, rosas; seus lábios,*
> *corais; seus dentes, pérolas; seu pescoço, alabastro;*
> *seu seio, mármore; suas mãos, marfim; sua pele, alva*
> *como a neve, e tudo o que a decência oculta da vista, o que*
> *penso e imagino, a reflexão racional só*
> *pode exaltar, não comparar.*

Um dia, ele chama ambos os nomes: "Dulcineia, minha senhora!". Ela tira seu avental e entra furiosa no quarto, fervilhando em desdém. Então começa a desfiar seu rosário de ódio próprio, uma tentativa de se distanciar de uma vez por todas de qualquer ideia de ser uma *dama*. Vou parafrasear seu discurso:

> *Foi abandonada pela mãe depois de um*
> *nascimento não desejável. Se tivesse o senso de*
> *ser dama, teria se entregado e morrido,*
> *bem ali na miséria. Mas não foi o que fez.*
> *Uma dama teria a alegria de identificar seu pai,*
> *mas, com um arrebatador braço de vergonha, ela*
> *teria de incluir os homens de um regimento inteiro.*
> *As damas enxergam-se nos olhos do pai. Ela não vê nada.*
> *Um nascimento delicado poderia ter ditado*
> *uma vida honesta. Mas boa parte de seu tempo é*
> *gasto açoitada por todos os seus fracassos; a prostituta*
> *de cozinha que os homens usam ao acaso e*
> *depois mandam embora.*

Ela xinga Dom Quixote para que ele a veja como ela realmente é, não a dama de seus sonhos. Ela aprendeu a levar uma vida na mais cruel realidade, a vida como ela é; ela sobrevive tomando e depois oferecendo de novo. Os olhos dele anuviados por um *talvez* a conduzem ao desespero.

> *Tapas e abusos eu posso levar e devolver,*
> *mas a ternura eu não posso suportar.*

O discurso dela conclui com a visão de si mesma: "Não passo de uma prostituta".

Mas repetidas vezes, Dom Quixote retorna. E, apesar de todas as aparências em contrário, ele vê o que é verdadeiro, bom e belo em Aldonsa. E lentamente, da maneira como ela se vê refletida nos olhos do velho cavaleiro, ela começa a se recordar.

> *Só sei que o coração moribundo carece*
> *ter nutrida a memória para viver para*
> *além dos excessivos invernos.*
> Rod McKuen

E lentamente aquele outro Dom Quixote, Jesus Cristo, começa a se apresentar diante dos olhos dela, dizendo: "O passado já se foi e não mais existe. Todos tropeçamos a caminho da maturidade. Todos procuramos o amor nos braços errados, a felicidade nos lugares errados. Mas em meio a tudo isso você tornou-se real. Você tem um coração de compaixão imensa pelo dilaceramento dos outros. Você é totalmente incapaz de hipocrisia, e eu estou profundamente apaixonado por você".

Na versão musical, um momento poderosíssimo se dá quando Aldonsa sai do palco e desce até a primeira fileira da plateia para orgulhosamente anunciar: "Deste dia em diante, meu nome não é mais Aldonsa. Eu sou Dulcineia".

> Por amor de Sião
> eu não sossegarei,
> por amor de Jerusalém
> não descansarei
> enquanto a sua justiça
> não resplandecer como a alvorada,
> e a sua salvação,
> como as chamas de uma tocha.
> As nações verão

> a sua justiça,
> e todos os reis, a sua glória;
> você será chamada por um novo nome
> que a boca do Senhor lhe dará.
>
> Isaías 62:1-2

Como você descreveria o que aconteceu a essa mulher? As palavras que eu usaria são nascida de novo, recriada, renovada, curada pelo toque amoroso do amor furioso de Dom Quixote.

Mas então, numa daquelas trágicas ironias da vida, Dom Quixote cai doente de modo desesperador. Sua mente está cansada de pensar demais, seu coração está partido por ter amado demais e seu corpo está gasto por ter lutado demais. Ele fica deitado em sua cama num semicoma. Aldonsa, agora Dulcineia, vem e ajoelha-se ao lado dele e mergulha no ministério curador de Jesus Cristo.

O que disse o Senhor na noite antes de morrer? Se qualquer um de vocês me amar, será fiel à minha palavra e meu Aba o amará, virá e fará um lar dentro de você. Jesus falou da vida da Graça, da estonteante Graça, não como algum conceito ou abstração teológica; para Jesus, Graça era relacionamento, a presença do próprio Aba em nosso coração por meio do dom do Espírito Santo.

Esse é o mesmo espírito curador que habita na alma humana de Jesus Cristo, o qual permite que o cego veja, o surdo ouça e o coxo ande. É exatamente o mesmo espírito curador que habitava na grande alma do pai de Larry Malaney, capacitando-o a ressuscitar seu filho a uma novidade de vida. É o mesmo espírito curador que habitava a grande alma de Aldonsa, agora Dulcineia. A pergunta não é *se ela pode curar*. Há somente um curador no Novo Israel de Deus e é Jesus, o Cristo.

A única pergunta é: *ela permitirá que o espírito curador do Jesus ressurreto flua por intermédio dela; ela estenderá a mão e tocará nele?*

Aldonsa, agora Dulcineia, fica lado a lado, implorando que ele acorde e recorde. Ela anseia por sua voz, a voz furiosa de amor que proferiu aquela única palavra — Dulcineia.

O cavaleiro de semblante angustiado ouve justo aquela palavra e acorda suavemente. Coça a cabeça, tentando tirar as teias de aranha de sua mente, que talvez não tivessem passado de sonho. Mas então é a vez de Dulcineia proferir as palavras de *talvez*; palavras que sonham contra palavras como *imbatível, insuportável, incorrigível, inalcançável* e *impossível*.

A voz dela e as palavras dela reacendem a chama no velho cavaleiro. O resplendor dela chama-o para ressurgir — Dom Quixote, o homem de La Mancha. Ele cai da cama renascido, recriado, renovado, curado. Nasce outra vez por meio do toque amoroso da afirmação de Dulcineia e até o fim ele sonhará seu sonho impossível.

A pergunta não é *se podemos curar*. A pergunta, a única pergunta, é: *deixaremos que o poder curador do Jesus ressurreto flua por intermédio de nós para alcançarmos e tocarmos outras pessoas, de modo que elas possam sonhar, e lutar, e resistir, correndo para onde nem os corajosos ousam ir?*

medite nestas coisas...

1. Peça ao Pai que lhe traga à mente uma pessoa que lhe tenha ministrado o toque curador de Jesus. Passe alguns minutos agradecendo.

2. Agora peça ao Pai que lhe traga à mente uma pessoa que precise desse mesmo toque curador. Separe um tempo e decida como retribuir o favor de um modo tangível.

ousadia

O dicionário de inglês de Oxford registra trinta palavras de origem iídiche; palavras como *kibitz, kibbutz, goy, mensch* e naturalmente, *chutzpah.*

> chutzpah — *função: substantivo*
> *Etimologia: do iídiche khutspe,*
> *do hebraico tardio* huspah
> suprema autoconfiança, ousadia, coragem,
> às vezes uma agressividade detestável.

Esther Schwartz estava em frente a um hotel em Miami com seu neto Jacó, de três anos de idade. Ela simplesmente ama Jacó de paixão. Ela comprou para o pequenino e precioso Jacó um chapéu circular amarelo para que o sol não tocasse no alto da cabeça de Jacó. Também comprou para ele um baldinho e uma pazinha. Lá na praia, Esther encanta-se com a graça que é Jacó: pegando a areia, pondo-a no balde, pegando mais areia, pondo mais areia no balde.

Ah, Yahweh, muito obrigado pelo Jacó.

Nesse exato momento, uma tremenda onda se aproxima, recolhe o pequeno Jacó, seu balde e sua pá e os arrasta para dentro do mar. Esther Schwartz fica muito zangada. Ela olha para o céu e grita: "Quem você pensa que é¿ Você sabe quem sou¿ Sou Esther Schwartz. Meu marido, Salomão Schwartz, é médico, e meu filho, Billy Schwartz, é dentista. Como você ousa fazer isso¿".

Nesse exato momento, a maré traz uma segunda onda que arrasta o pequeno Jacó, seu balde e sua pá, de volta aos pés da avó. Esther Schwartz olha para o céu e grita: "Ele tinha um chapéu amarelo. Onde está o chapéu¿".

Isso, meus amigos, é *chutzpah*.

O autor da carta aos Hebreus diz que devemos nos aproximar do trono da graça com *chutzpah*, sabendo que encontraremos misericórdia e graça em momentos de necessidade.

> Assim, aproximemo-nos do trono da graça com toda a confiança, a fim de recebermos misericórdia e encontrarmos graça que nos ajude no momento da necessidade.
>
> Hebreus 4:16

> Portanto, irmãos, temos plena confiança
> para entrar no Santo dos Santos
> pelo sangue de Jesus, por um novo
> e vivo caminho que ele nos abriu
> por meio do véu, isto é, do seu corpo.
> Temos, pois, um grande sacerdote
> sobre a casa de Deus. Sendo assim,
> aproximemo-nos de Deus com um
> coração sincero e com plena convicção de fé...
>
> Hebreus 10:19-22

E agora do *Livro de oração comum*, edição de 1559:

> ... também que eu possa de livre consciência
> e com o coração sereno, diante de todas as
> formas de tentação, aflições ou necessidades,
> e mesmo em meio à angústia mortal, clamar
> com ousadia e alegria a ti dizendo: Creio em Deus
> Pai todo-poderoso, criador dos céus e da terra.

Há alguns anos, o jogador de golfe profissional Arnold Palmer participou de uma série de partidas de demonstração na Arábia Saudita. Ao concluir a série, o rei estava tão impressionado com a perícia de Palmer, que desejou dar-lhe um presente. Palmer, multimilionário por seus próprios méritos, opôs objeções: "Na realidade, não é necessário. Foi um prazer conhecer seu povo e jogar em seu país".

O rei manifestou seu grande desapontamento por não poder dar ao profissional do golfe um presente. Palmer sabiamente reconsiderou e disse: "Bem, que tal um taco de golfe? Um taco de golfe seria uma recordação maravilhosa de minha visita aqui". O rei ficou satisfeito. No dia seguinte, um mensageiro entregou no quarto de hotel de Palmer um documento de posse de um clube de golfe,[1] com 36 buracos, árvores, lagos, edifícios. Moral da história? Na presença do rei, não peça presentes pequenos.

Um dia Jesus prosseguia por uma estrada da Galileia quando um cego, chamado Bartimeu, clamou: "Jesus, filho de Davi, tem misericórdia de mim!". Os apóstolos tentaram silenciá-lo. Mas ele gritou ainda mais alto: "Jesus, filho de Davi, tem misericórdia de mim!".

Jesus para, volta-se para ele e pergunta:

— O que você quer?

Sem hesitar, o cego diz:

— Quero ver!

E Jesus diz:

— Tua fé te salvou.

Sua visão foi restaurada imediatamente e então Marcos observa que Bartimeu largou a capa. Para um cego, a capa representava segurança, uma vez que o cego na Palestina do primeiro século era considerado amaldiçoado por Deus. As famílias os lançavam nas ruas. A única proteção que tinham contra a intempérie era a capa. E ele larga justo a capa. Abre mão de toda a segurança que sempre conhecera para seguir o homem chamado Jesus.

O que você quer? Hoje, agora mesmo?
Peça corajosamente.

*A única coisa que devemos absolutamente
a Deus é nunca ter medo de nada.*
Charles deFoucauld

medite nestas coisas...

1. Se Jesus lhe perguntasse neste exato momento — *O que você quer?* — o que você diria? Sério. Qual seria sua resposta?

2. Bartimeu precisou lançar fora seu cobertor de segurança. O que representa a segurança para você? De que maneiras Jesus está pedindo que você abra mão disso?

fogo

Jesus Cristo mudou o mundo irreparavelmente.

Quando pregada de forma pura, sua palavra nos exalta, amedronta, choca e força a reavaliar toda a nossa vida. O evangelho interrompe nossa linha de pensamento, abala nossa falsa e confortável piedade e abre nossas verdades encapsuladas. O espírito iluminado de Jesus Cristo demarca novas veredas em toda parte. Suas frases se apresentam como espadas tremulantes em chamas, porque ele não veio trazer paz, mas revolução. O evangelho não é um conto de fadas, mas antes um terremoto no mundo do espírito humano com o poder cortante de uma espada, convulsivo e com o estrondo de trovões.

Ao entrar na história humana, Deus destrói todas as concepções prévias de quem ele é e o homem deve ser. Somos subtamente apresentados a um Deus que sofre a crucificação. Não se trata do deus dos filósofos que falam com um frio distanciamento acerca do Ser Supremo. Um Ser Supremo assim jamais permitiria que cuspissem em seu rosto.

Parece destoar quando descobrimos que aquilo por que ele passou em sua Paixão e morte está reservado também para nós; que o convite que ele estende é *Não chore por mim! Junte-se a mim!* A vida que ele planejou para os cristãos é uma vida muito semelhante a que ele viveu. Ele não se fez pobre para que nós enriquecêssemos. Não foi zombado para que fôssemos honrados. Não foi alvo de risos e chacotas para que fôssemos enaltecidos. Ao contrário, ele revelou um retrato que deveria incluir a você e a mim.

> Agora me alegro em meus sofrimentos por vocês, e completo no meu corpo o que resta das aflições de Cristo, em favor do seu corpo, que é a igreja.
>
> Colossenses 1:24

Uma vez extinto o espírito que arde no evangelho, mal sentimos de novo sua incandescência. Ficamos tão acostumados ao fato cristão mais fundamental — Jesus Cristo esvaziado, nu e crucificado —, que deixamos de vê-lo pelo que realmente é. Precisamos nos despir de cuidados terreais e da sabedoria do mundo, todo o desejo de louvor humano, ganância por qualquer tipo de conforto, incluindo-se as consolações espirituais. O evangelho é uma convocação para nos despirmos dessas elevadas aspirações por meio das quais conseguimos pintar um retrato de nós para a admiração dos amigos.

Na verdade não somos tão maus assim. Não é mesmo?

Mesmo o último trapo a que nos agarramos — a autolisonja que leva a crer que estamos sendo humildes quando negamos ter qualquer semelhança com Jesus Cristo —, mesmo esse trapo precisa ser abandonado quando nos vemos face a face com o Filho do Homem crucificado.

Como interpretamos o evangelho com ideias preconcebidas do que ele deveria dizer e não do que ele de fato diz, a Palavra não mais cai como chuva na terra ressecada de nossa alma. Não mais se precipita como uma tempestade feroz nos cantos da nossa falsa e confortável piedade. Não mais vibra como um relâmpago repentino nos recessos escuros de nossa ortodoxia não-histórica. O evangelho passa a ser, nas palavras de Gertrude Stein:

> ... *a arenga de chavões falsamente piedosos proferidos por um carpinteiro judeu num passado distante.*

Por exemplo, a primeira bem-aventurança:

> Bem-aventurados os pobres em espírito, pois deles é o Reino dos céus.
>
> Mateus 5:3

Há tanto tempo é apresentada como uma ameaça moralizante para nos afastarmos de dinheiro, de coisas materiais e de todos os confortos da criatura, que deixamos de enxergá-la pela grande mudança de sentido que ela representa. Jesus disse, na realidade:

> *Seja como uma criancinha. Considere-se de pouca importância.*

Você será bem-aventurado se amar ser desconhecido e reconhecido como um nada.

Preferir desprezo a honra, ridicularização a louvor, humilhação a glória — essas são algumas das fórmulas clássicas da grandeza cristã.

Palavras como essas não somente nos chamam à conversão, mas também anunciam as Boas-Novas, de que a era messiânica invadiu a história. Para os cristãos que vivem no que Oscar Cullman chamou "o *serismo* do há de ser", elas apresentam as estratégias necessárias para um estilo de vida radicalmente diferente de oração constante, de total altruísmo, de bondade alegre e criativa, e de um envolvimento sem reservas com Deus, com sua igreja e com o bem-estar de seus filhos.

Mas sejamos sinceros. Passagens como "A vontade de Deus é que vocês sejam santificados" (1Ts 4:3) causam apreensão, inquietação e um senso vago de culpa existencial. *Santidade* é uma palavra aterradora quando proferida pelo Deus vivo. Viver o mistério pascal, morrer diariamente para o eu e ressurgir em novidade de vida em Cristo é uma coisa medonha de contemplar, que dirá de viver.

Ainda assim, há algo de ardente em seu convite — *Vem, segue-me!*

Todos já experimentamos a tristeza de uma vida cristã segura, bem regulada, mas basicamente empobrecida. Ansiamos, ao menos vez por outra, por uma generosidade que nos ergueria acima de nós mesmos. As palavras de Leon Bloy têm o gosto da verdade:

> A única verdadeira
> tristeza é não ser santo.

A resolução desse conflito é geralmente iniciada por aquilo que dom Verner Moore chamou uma "percepção semiexperiencial do calor e da ternura do amor de Deus". Ou o que eu escolho chamar de "batismo de fogo". Ele pode acontecer no culto semanal de adoração, ouvindo as Escrituras, numa oração com mais pessoas, mesmo segurando um recém-nascido. Está à disposição de qualquer pessoa que procure firmemente se mover para além das abstrações teóricas em direção a uma experiência viva, intensamente real. Ele proclama a procrastinação algo indesejável e precipita o advento da única aventura que resta a homens e mulheres, que Christopher Fry chama "a exploração para o interior de Deus".

É natural sentir medo e insegurança quando diante das demandas radicais do compromisso cristão. Mas envolto na verdade vivida do amor furioso de Deus, a insegurança é engolida na solidez do *ágape*, e a angústia e o medo abrem espaço para a esperança e o desejo. O cristão fica ciente de que o apelo de Deus para a generosidade ilimitada dos que lhe pertencem foi precedido de sua parte por um amor ilimitado, um amor tão concentrado à espera de uma resposta, que ele nos capacitou para respondermos por meio do dom de seu próprio Espírito.

> Nisto consiste o amor: não em que
> nós tenhamos amado a Deus, mas em que

> ele nos amou e enviou seu Filho
> como propiciação pelos nossoa pecados.
> [...] Nós amamos porque
> ele nos amou primeiro.
>
> 1João 4:10,19

Graças a seu amor furioso, você pode queimar.

> *Um estranho sentimento recai sobre você,*
> *quando você vê a vela ardendo silenciosa.*

Se você se encolhe de medo, como Goethe conclui:[1]

> *Você não passa de um convidado*
> *inquieto na terra em trevas.*

medite nestas coisas...

1. Henri Nouwen disse: "Quando a imitação de Cristo não significa viver uma vida como Cristo, mas viver sua própria vida de forma tão autêntica quanto Cristo viveu a dele, então há muitas maneiras e formas em que um homem pode ser cristão".[2] Sente-se por uns minutos com essa citação, pedindo que o Pai fale com você por meio dela.

2. O evangelho está vivo e é real para você neste exato momento? Ou foi ficando envelhecido e previsível? Ou há alguma outra maneira, algum termo "tanto isso... quanto aquilo" que você usaria para descrevê-lo?

dar

Uma ou duas vezes na vida, ouvimos uma história que nos deixa uma marca indelével no coração e na mente. Esta é uma dessas histórias. Eu a ouvi pela primeira vez em 1967. Trata-se de *A árvore generosa*, de Shel Silverstein.

"Era uma vez uma árvore [...] e ela amava um menininho". E assim começa a história de uma árvore que é feliz porque pode fazer o menino feliz. A princípio o menino não deseja nada mais que empoleirar-se em seus galhos, comer suas maçãs e deitar a sua sombra.

Mas à medida que o menino cresce, com ele seus desejos crescem. Mas, graças ao amor da árvore, ela lhe dá as maçãs para ele as venda e consiga dinheiro para divertir-se de fato; os galhos, para adificar uma casa para sua mulher e família; e o tronco, para construir um barco e assim navegar para longe do tédio da vida.

Um dia então, o pródigo retorna à árvore que o ama. Por agora, já lhe deu tudo; tudo que resta dela é um velho toco. O menino, agora um velho, precisa somente de um lugar sossegado para se sentar e descansar. E a árvore generosa é-lhe generosa mais uma vez.¹

Desde que ouvi essa história muitos anos atrás, encantei-me com a parábola de Silverstein. Faz me lembrar de Jesus, de quem Paulo escreveu aos Filipenses: "esvaziou-se a si mesmo". Ele bradou do fundo de seu coração, pregos nas mãos, e verteu seu sangue para que crêssemos em seu amor por nós. De modo significativo, Jesus escolheu a árvore generosa, sua cruz, como sinal a demonstrar seu amor absolutamente furioso por homens e mulheres. Nas palavras de um dos pais da igreja primitiva: "o ato mais poderoso de amor que jamais brotou de uma alma humana".

Como foi então que chegamos a imaginar que o cristianismo consiste primeiramente no que fazemos para Deus? Como isso se transformou na boa notícia de Jesus? Será que o reino que ele proclamou há de ser nada mais que uma comunidade de homens e mulheres que vão à igreja aos domingos, fazem um retiro espiritual anual, leem a Bíblia de vez em quando, opõem-se vigorosamente ao aborto, não assistem a filmes pornográficos, jamais fazem uso de linguagem chula, sorriem bastante, mantêm portas abertas para as pessoas, torcem por seu time esportivo favorito e se dão bem com todos? Foi por isso que Jesus atravessou o horror desolador e sangrento do Calvário? Foi por isso que ele ressurgiu em glória perturbadora do túmulo? Foi por isso que ele derramou seu Espírito Santo sobre a igreja? Para tornar homens e mulheres mais agradáveis e com uma moral melhor?

O evangelho é absurdo, e a vida de Jesus é totalmente sem sentido a menos que creiamos que ele viveu, morreu e ressurgiu com somente uma finalidade em mente: para fazer criações novas em folha. Não para criar pessoas com moral aperfeiçoada, mas para criar uma comunidade de profetas e indivíduos cheios de amor, homens e mulheres que desejam se render ao mistério do fogo do Espírito que arde dentro deles, que desejam ser cada vez mais leais à Palavra onipresente de Deus, que desejam chegar ao âmago de tudo isso, ao próprio coração e mistério de Cristo, da chama que consome, purifica e atribui a tudo ardente paz, alegria, ousadia e amor extraordinário, furioso. Isso, meus amigos, é o que de fato significa ser cristão. Nossa religião jamais se inicia com o que fazemos por Deus. Sempre começa com o que Deus fez por nós, as coisas grandes e maravilhosas que Deus sonhou e conquistou para nós em Cristo Jesus.

medite nestas coisas...

1. Alguns consideram a parábola de Silverstein uma história de egoísmo e ganância por parte do menino e de passividade irresponsável por parte da árvore. Que lhe parece?

2. Como expressa Timothy Jackson, professor de Estudos Religiosos da Universidade de Stanford: "Será que temos aqui uma história triste¿ Bem, é triste da mesma maneira que a vida é triste. Somos todos carentes, e, se tivermos sorte e qualquer bem, envelhecemos usando as pessoas e sendo usados. As lágrimas caem em nossa vida como as folhas de uma árvore. Nossa finitude, contudo, não é algo para lamentar ou rejeitar com desprezo; é o que possibilita o dar (e o receber). [...] Será que a generosidade da árvore deveria estar condicionada à gratidão do menino¿ Se fosse o caso, se pais e mães esperassem reciprocidade antes de cuidar de seus bebês, então todos estaríamos perdidos".[2]

amor inimaginável

Talvez a questão mais fundamental não é quanta teologia estudamos ou quantas passagens bíblicas memorizamos. Tudo o que realmente importa e isto: *Você experimentou o anseio furioso de Deus ou não?*
Essa mesma pergunta levou o brilhante Karl Rahner a profetizar:

> *Nos dias que se seguem, ou você será um místico*
> *(alguém que experimentou Deus para valer),*
> *ou simplesmente nada.*

Em tempos de perseguição, desmorona o cristianismo teórico.

A contemplação do anseio furioso de Deus é elevada a um nível extraordinário naqueles momentos raros e inesquecíveis em que nossa fé, esperança e amor são alçados a um nível nunca antes experimentado por meio da intervenção ativa do Espírito Santo, muito à semelhança de uma viagem num barco quando acomete a tempestade. Somos mergulhados em mistério, ou naquilo que Heschel chamou o *espanto radical*. Desaparecem a vergonha e a percepção exagerada de nós mesmos. Estamos na presença do Mistério inefável acima de todas as criaturas e além de qualquer descrição.

Esses são momentos de verdade. Você está na presença única do Único. Os ternos sentimentos de Deus por você não são mais um conhecimento estéril. Você experimenta a certeza do anelo de Deus pela intimidade diferente de qualquer coisa que você já tenha sentido nos cultos com palmas ou nos estudos ungidos das Escrituras. Muitos de nós receberam conhecimento sem valorização, fatos sem entusiasmo. Mas, uma vez encerradas as investigações acadêmicas, percebemos de repente a insignificância de tudo aquilo. Simplesmente de nada importava.

Quando a noite é difícil, e meus nervos estão dilacerados, e as ondas quebram sobre os lados da embarcação, fala a Infinitude. O Deus todo-poderoso compartilha por meio de seu Filho a profundidade de seus sentimentos por mim, seu amor cintila em minha alma e sou tomado pelo mistério. São momentos de *kairos* — a invasão resoluta da fúria de Deus em minha própria história de vida.

É quando enfrenta uma decisão de grande importância. Tiritando nos andrajos de meus 74 anos, tenho duas escolhas. Posso escapar furtivamente para o ceticismo e para o intelectualismo, agarrando-me a minha preciosa vida. Ou, com um espanto radical, posso permanecer no convés e corajosamente me pôr de pé numa fé rendida à verdade de que sou amado, absorvido pela fúria arrojada e intensa a que chamam amor de Deus. E aprender a orar.

posfácio

Meu nome é Mair. Sou uma maltrapilha.
Meu nome é Mair. Sou uma diva.
As duas afirmações são verdades.

Era uma vez um momento em que eu estava partida; estava *destruída*, despedaçada — acreditava eu — sem possibilidade de conserto. Quando ia à igreja, o que raramente acontecia, não conseguia manter a cabeça erguida. Se você me perguntasse na ocasião que nome eu recebia de Deus, minha resposta não seria "sua amada". Diria que ele me chamava "sua maior decepção".

Mas então um vento furioso soprou um livro em minhas mãos — *O evangelho maltrapilho*.[1]

Brennan Manning me chegou trazendo boas notícias. Disse-me que sou a maltrapilha de Deus, *a* pobre e necessitada *menor de todos*, e que Deus me ama, exatamente como sou. Ao mesmo tempo — ah, o glorioso paradoxo! —, disse-me que havia uma faísca do divino em mim. Tornou concretas as palavras de Gênesis 1:26: "Façamos o homem à nossa imagem, conforme a nossa semelhança". E essa condição, amada, faz de mim uma diva humilde. Que dívida tenho para com Brennan pelo presente de me revelar exatamente quem sou, uma *diva maltrapilha*.

E agora, a fúria ruge outra vez. *O anseio furioso de Deus* atiçou aquela faísca da divindade residente tornando-a uma chama flamejante de amor ardente. Fui absorvida no abraço de Deus, em toda a sua fúria. E essa fúria, essa fúria inefável, sublime, não é a ira de Deus. Ah, não, de forma alguma! É seu amor insano, inequívoco, inexaurível, irracional.

O anseio furioso de Deus não se trata simplesmente de um tratado que revela nua e cruamente a verdade do amor insano de um divino louco. É um credo veraz para maltrapilhos, e quem não ia querer ser um maltrapilho depois de ler isto? Brennan deixou-nos nesta obra as Bem-Aventuranças da pós-modernidade:

> *Você é bem-aventurado! O desejo de Deus*
> *está posto em você. E Jesus é a encarnação*
> *do anseio furioso de Deus. Ele é seu amante*
> *supremo. É verdade.*

> *Você é bem-aventurado. O inverno de sua*
> *alma já se foi. A neve já se foi. As flores*
> *estão florescendo dentro de você. Chegou o*
> *motivo para você entoar canções e júbilo. Para você.*
> *Você é bem-aventurado! O amor de Deus é loucura.*

*Ninguém é excluído. Todos (de verdade!).
são chamados à mesa do banquete. Venha, e farte-se.*

*Você é bem-aventurado! Es-TU-pen-do.
Seja você. Seja simplesmente. O amor o sustenta.*

*Você é bem-aventurado! Você aprendeu
a finalidade da vida:* AMOR.

*Você é bem-aventurado! Você pode orar
como uma criança, e apreciar Deus.*

*Você é bem-aventurado! Cure, e seja
curado. Reivindique confirmações do reino de Deus.*

Amém. Amém. Amém.

Prossigam agora, amados irmãos e irmãs, em chamas com o que vocês sabem fazer: *Amar!* Não fiquem calados. Não fiquem em silêncio, até que a justiça avance como brilho e a salvação seja uma tocha ardente. Até que todas as nações vejam sua retidão, e todos os reis, sua glória. Vocês serão chamados: "A testemunha do amor de Deus no mundo".

Convidem todos à festa do amor furioso de Deus. Façam conforme o Mestre ordena: "Vá rapidamente para as ruas e becos da cidade e traga os pobres, os aleijados, os cegos e os mancos" (Lc 14:21).

Traga os famintos. Traga os que sangram e os que estão fracos. Arraste-os ao banquete os miseráveis e esfarrapados como estão. Traga-os à mesa, embora eles lamentem e chorem, com a cerviz encurvada e a cabeça prostrada.

Vão no amor. Vão com amor. Vão por causa do amor.

De que outra forma conhecerão o nosso bom Deus?

De que outra forma nós o conheceremos?

"Com isso todos saberão que vocês são meus discípulos, se vocês se amarem uns aos outros" (Jo 13:35).

Claudia Mair Burney
1.º de dezembro de 2008, primeira semana do Advento.

notas

gênese

[1] Os dois primeiros títulos publicados pela Mundo Cristão respectivamente em 2005 e 2007. O terceiro publicado por Editora Palavra, 2007. (N. do T.)

[2] Sopa ou caldo mediterrâneo muito temperado, preparado com vários tipos de peixe e mariscos, acrescido de tomates e cebolas ou alho-poró e temperado com açafrão, alho e ervas. (N. do T.)

fúria

[1] *The love of God*, do álbum *Never Picture Perfect*. Reunion, 1989.

união

[1] *Drawn into the mystery of God through the Gospel of John*. Mahwah, NJ: Paulist Press, 2004, p. 296.

[2] São Paulo: Loyola, 1994.

[3] São Paulo: Mundo Cristão, 2009.

[4] Cit. em Thomas L. BRODIE. *The Gospel According to John*. New York: Oxford University Press, 1997.

[5] *Dictionary of the Bible*. New York: Macmillian, 1965, p. 269.

[6] *The Gospel According to John*. New York: Oxford University Press, 1997, p. 60–61.

[7] Alusão ao conto do Dr. Seuss. *O gatola de cartola*. São Paulo: Campanhia das Letrinhas, 2000. Na história, Sam convence uma personagem sem nome a comer ovos verdes com presunto, depois de enfrentar grande relutância por parte desta. A personagem sem nome, deliciada com a iguaria, sente-se envergonhada por ter sido antes tão relutante e se desmancha em desculpas, apontando todos os lugares e formas em que agora, promete, continuará se deliciando com a iguaria. (N. do T.)

momento não planejado de oração
[1] Mahwah, NJ: Paulist Press, 2001, p. 26.

pequenos dons
[1] *Heart of the World*. Fort Collins, CO: Ignatius Press, 1980.

cura
[1] New York: Harper Perennial, 2005, cap. XIII, vol. 1.

ousadia
[1] A expressão *golf club* indica tanto "taco de golfe" quanto "clube de golfe".

fogo
[1] Johann Wolfgang von GOETHE. "The Holy Longing".
[2] *The Wounded Healer*. New York: Image, 1979, p. 99.

dar
[1] São Paulo: CosacNaify, 12ª ed., 2006.
[2] *The Giving Tree: A Symposium*. © *First Things*, 49:22–45, 1995.

posfácio
[1] São Paulo: Mundo Cristão, 2005.

Conheça outras obras de
Brennan Manning

- Colcha de retalhos
- Convite à solitude
- Deus o ama do jeito que você é
- Falsos, metidos e impostores
- O evangelho maltrapilho
- O impostor que vive em mim
- O obstinado amor de Deus

Compartilhe suas impressões de leitura escrevendo para:
opiniao-do-leitor@mundocristao.com.br
Acesse nosso *site*: www.mundocristao.com.br

Diagramação: Triall Composição Editorial Ltda
Fonte: Schneidler BT
Gráfica: Assahi
Papel: Pólen Natural 70 g/m² (miolo)
Cartão 250g/ m2 (capa)

Para Artur, Julia,
Henrique e Dona Mirtes,
que estão comigo nos
bastidores da jornada